NO SUCRE !

NICOLE MOWBRAY

NO SUCRE !

Une nouvelle vie commence
(sans sucre)

Traduit de l'anglais par Lucile Debrosse

LE LIVRE DE POCHE

© Librairie Générale Française, 2015,
pour l'édition en langue française.
ISBN : 978-2-253-19101-8

INTRODUCTION

« Non, l'ennemi, ce ne sont pas les graisses. »
Professeur Robert Lustig[1]

Que diriez-vous si je vous initiais à une méthode encore peu connue qui vous permettra de rajeunir et de mincir rapidement et facilement ? Je ne vous cache pas qu'il y a des effets secondaires : vous serez de meilleure humeur, plus sûr de vous, vous dormirez mieux et vous n'éprouverez plus le besoin (ni même l'envie) de grignoter des cochonneries. Mieux encore, cette métamorphose n'exige ni investissement financier, ni cachets, ni suivi médical.

Alors, l'aventure vous tente ?

Eh bien, c'est très simple : il suffit de réduire votre consommation de sucres.

La recette peut paraître miraculeuse, mais depuis deux ans que j'ai décroché du sucre, j'ai pu constater tous ces bienfaits grâce à mes nouvelles habitudes alimentaires. En 2012, je mangeais régulièrement du muesli aux fruits secs, des sushis et des confiseries ; je me régalais de boissons sucrées, de cocktails aux jus de fruits frais et de smoothies. J'avais l'impression de croquer la vie à belles dents. Seule ombre au tableau : avec mon 44, je faisais une ou deux tailles de plus que maintenant, ce qui avait le don de me miner le moral. Il n'y a certes rien de dramatique à faire du 44, mais je ne comprenais pas pourquoi je n'arrivais pas à perdre le moindre centimètre sur les hanches, les fesses, le ventre… Mis à

---

1. Endocrinologue à l'université de Californie (San Francisco), spécialiste de l'obésité infantile.

part mon faible pour les sucreries, je faisais pourtant tout ce qu'il fallait : j'évitais le plus possible les chips et les fritures, mes repas n'étaient jamais trop gras ni trop copieux, et je faisais de l'exercice. Que se passait-il donc ? J'étais convaincue que c'étaient les graisses saturées qui étaient mauvaises pour la ligne, et que quelqu'un d'aussi actif que moi pouvait brûler les sucres en un clin d'œil.

En fait, pas du tout.

Avec la quantité de sucres que j'absorbais, je pouvais faire une croix sur la silhouette en sablier de mes rêves. Et, en ce printemps 2012, je n'avais pas encore compris que mon alimentation était également responsable des fines ridules qui, depuis quelque temps, se creusaient sur mon visage. Moi qui n'avais jamais eu de problèmes de peau dans ma jeunesse, j'avais commencé vers la trentaine à souffrir d'acné et à voir apparaître des taches brunes sur ma peau. Ces changements visibles en cachaient d'autres, plus insidieux : j'étais de plus en plus irritable, d'humeur instable. Plutôt gaie et boute-en-train par nature, je pouvais me mettre en colère ou bouder d'une minute à l'autre, et un rien suffisait à me contrarier. J'ai toujours eu une sensibilité à fleur de peau, mais dans mes mauvais moments, je n'avais jamais été plus près de fondre en larmes à la moindre provocation.

Je mettais ces sautes d'humeur sur le compte de la fatigue. Le soir, je m'endormais sans problème, mais il m'arrivait souvent de me réveiller en pleine nuit et de me tourner et retourner dans mon lit pendant deux heures... pour ne retrouver le sommeil qu'au petit matin, juste avant la sonnerie du réveil.

J'étais alors à mille lieues d'imaginer que mon alimentation pouvait avoir un quelconque rapport avec tous ces désagréments, ou avec les chambardements hormonaux responsables de mes règles douloureuses et irrégulières. Je savais que mon poids était directement lié à mon régime alimentaire, mais tous ces autres symptômes n'avaient certainement rien à voir avec ce que je mangeais.

Une fois encore, j'avais tout faux. La racine du mal se trouvait bel et bien dans mon assiette. J'en suis maintenant d'autant plus persuadée qu'en juin 2012, j'ai supprimé la plupart des sucres de mon alimentation et, en l'espace de quelques mois, tous ces soucis ont disparu comme par enchantement.

Si quelqu'un était mal parti pour incarner un mode de vie sain, c'était bien moi. Dans mes jeunes années, j'étais la première à me précipiter dans un bar après le travail pour commander un verre de vin blanc ou un gin tonic. Je n'ai jamais été très portée sur les programmes détox, les cures de jus de fruits et les régimes à la mode. J'ai bien essayé de limiter ma consommation de pain et de fromage, mais sans grand succès. J'ai même tenté la méthode Dukan – j'ai tenu une quinzaine de jours avant de retomber dans mes bonnes vieilles habitudes.

À vrai dire, j'ai toujours eu le chic pour prendre de mauvaises décisions. À neuf ans, je signais mon premier exploit en jetant la grenouille en peluche de ma sœur dans la cuvette des toilettes. J'étais plutôt contente de moi, jusqu'au moment où les billes de polystyrène ont gonflé et bouché le tuyau. À seize ans, juste avant les vacances d'été, je me suis fait faire un tatouage sur la cheville – à l'insu de mes parents, naturellement. Le coup de « c'est juste une décalcomanie » n'a pas marché très longtemps. Deux ans plus tard, je m'inscrivais à l'université de Southampton, sur la côte du Sussex, parce que je voulais vivre à proximité d'une plage. Je compris trop tard que les photos du prospectus avaient été prises à Bournemouth, à cinquante kilomètres de là. Il n'y a pas de plage à Southampton.

Mais supprimer le sucre a été l'une des meilleures décisions de ma vie. Je ne l'envisageais à l'origine que comme une expérience de plus, histoire de perdre rapidement quelques kilos avant l'été pour rentrer dans mon maillot de bain. Mais le simple fait d'analyser tout ce qui passait sous ma fourchette m'a fait prendre conscience que la plupart des aliments que je consommais régulièrement – y compris ceux que je qualifiais naïvement de « sains » – contenaient en fait énormément de sucre. Et ce, avant même de commencer à faire la liste de tous ceux dont je savais pertinemment qu'ils me faisaient plus de mal que de bien : l'indispensable barre de chocolat du goûter, la petite pâtisserie de temps à autre, les canettes de Coca quand j'avais besoin d'un « petit coup de fouet »… Encore et toujours le même constat : j'avais tout faux.

Si vous lisez ce livre, c'est sans doute parce que vous aussi, vous avez fait fausse route. Inutile de culpabiliser, vous n'êtes pas une exception. Il y a dans le monde plus d'un milliard d'adultes obèses, dont 300 millions ont franchi le seuil de l'obésité morbide. L'enquête ObÉpi-Roche, réalisée en collaboration avec l'Inserm, l'hôpital de la Pitié-Salpêtrière et Kantar Health, a révélé qu'en 2012, l'obésité touchait 6,9 millions de Français, soit 15 % de la population adulte. Cette proportion a plus que doublé depuis 1977. Le Royaume-Uni est encore plus mal loti, avec plus d'un quart d'adultes obèses, soit trois fois plus qu'en 1980.

En 2002, l'Organisation mondiale de la santé (OMS) estimait que les sucres devaient représenter moins de 10 % de nos apports énergétiques quotidiens, ce qui équivaut à environ 50 grammes par jour pour les femmes (l'équivalent de 10 morceaux de sucre ou de 12,5 cuillerées à café) et 70 grammes pour les hommes (14 morceaux de sucre ou 17,5 cuillerées !). Bien que les autorités sanitaires veillent à moduler ces recommandations en fonction de l'âge, de la taille et de l'activité des sujets, nombre de spécialistes préconisent de réduire ces quantités de moitié et, contrairement au système de comptabilisation de l'OMS, d'y inclure les sucres naturellement présents dans les fruits et légumes par exemple.

Selon l'enquête INCA 2[1], notre consommation moyenne de sucres, relativement stable depuis une dizaine d'années, avoisine 700 grammes par semaine. Faites le compte : 140 morceaux de sucre ! Voilà qui semble parfaitement absurde, et pour tout dire impossible : comment pourrait-on ingurgiter l'équivalent de près des trois quarts d'une boîte de sucre en sept jours – surtout si, comme moi, on essaie de faire un peu attention à ce que l'on mange ? Alors d'où peut venir tout ce sucre ?

La réponse est simple : il se cache dans les produits transformés, bourrés de sucres ajoutés. Pour votre prochaine visite au supermarché du coin, munissez-vous de lunettes loupes et amusez-vous à déchiffrer les tout petits caractères des étiquettes alimentaires. L'exercice est édifiant : un pot de yaourt maigre aux fruits : 18 g

1. Enquête individuelle nationale de consommation alimentaire, réalisée en 2006-2007 par l'Agence nationale de sécurité sanitaire de l'alimentation, de l'environnement et du travail (ANSES) et publiée en 2009.

de sucre ; une portion de céréales pommes-myrtilles : 14 g ; une canette de velouté de tomates : 21 g ; une demi-boîte de haricots blancs à la tomate : 12 g ; une barre de céréales aux fruits rouges : 12 g ; une briquette individuelle de jus d'ananas (200 ml) : 24 g ; et, comble de l'ironie, une boisson diététique : 22 g !… Jetons maintenant un coup d'œil aux petits extras que nous nous accordons plus souvent qu'à notre tour : la canette de Coca-Cola qui nous dope si bien – pas étonnant, avec 32 g de sucres ! Le sachet de bonbons Haribo pour lequel on craque en attendant à la caisse : 104 g d'un coup (21 morceaux de sucre), avec en prime une belle palette d'arômes, de colorants et de gélatine. Et que dire des Frosties, chargés de 37 % de sucres ? (Mes parents, qui nous en achetaient parfois, ignoraient sans doute ce détail, eux qui nous interdisaient de sucrer nos flocons d'avoine ou de maïs…)

Je pourrais continuer, mais vous l'aurez compris : l'ennemi est insidieux et omniprésent. Comment en sommes-nous arrivés là ? À quel moment tout ce sucre s'est-il glissé dans notre garde-manger ? J'ai posé la question à Ian Marber, célèbre nutritionniste et auteur de plusieurs ouvrages sur l'alimentation et la diététique. « Dans les années 1950 et 1960, on a pointé du doigt les graisses saturées, supposées être de "mauvaises graisses" parce qu'elles contenaient 9 calories par gramme – et faisaient donc grossir. Avec seulement 4 calories au gramme, les glucides (ou "hydrates de carbone" dans la terminologie de l'époque, c'est-à-dire le sucre sous toutes ses formes) ont été parés de toutes les vertus. On considérait alors que l'on pouvait consommer deux fois plus de glucides que de lipides. Puis, dans les années 1970, une étude a affirmé avoir établi un lien entre la consommation de graisses saturées et la prévalence des maladies cardio-vasculaires (ce que des études ultérieures ont réfuté).

On a alors commencé à éliminer les graisses des aliments transformés – y compris les "bonnes graisses", auxquelles on ne voyait aucun bienfait –, et le sucre les a peu à peu remplacées. Les consommateurs ont cru que, contrairement aux graisses, c'était un composant qui ne faisait pas grossir car, dans leur esprit, il ne pouvait y avoir qu'un seul coupable. »

Avec le recul, ce ne fut certainement pas l'initiative la plus heureuse. Si nous achetons moins de sucre de table qu'il y a trente ans, notre consommation, elle, a augmenté, puisque nous retrouvons du sucre dans les produits transformés. Ce n'est peut-être pas un hasard si l'on prévoit que le nombre de personnes souffrant d'obésité va doubler d'ici 2050.

Au printemps 2014, l'OMS a officiellement mis les sucres cachés au banc des accusés, les tenant pour responsables de l'épidémie d'obésité. Elle souhaite prendre des mesures concrètes et recommande désormais de diviser par deux nos apports quotidiens de sucre et de réduire notre consommation de sucres naturellement présents dans le miel, les sirops et les jus de fruits, frais et concentrés.

Tout cela est bien beau, mais concrètement, par où commencer ? Rien de plus simple : cessons d'acheter des produits qui contiennent du sucre, et supprimons en premier lieu ceux qui présentent les plus fortes teneurs en sucres ajoutés.

Nous apprendrons au fil de ces pages à les reconnaître en décryptant les étiquettes alimentaires. L'exercice n'est pas facile, car les fabricants se plaisent à brouiller les pistes, indiquant les quantités tantôt pour 100 grammes, tantôt par portion — et toujours en grammes, ce qui, pour la plupart d'entre nous, n'est pas très parlant. Pour retrouver des repères plus évocateurs, il suffit de garder à l'esprit les équivalences en morceaux de sucre (5 g) ou en cuillerées à café (4 g). Avec un peu d'expérience, vous deviendrez un as de la conversion, vous débusquerez les pièges et saurez en un coup d'œil combien de sucre vous consommez.

Dès que vous aurez commencé à limiter les sucres ajoutés, vous retrouverez une meilleure forme et une meilleure mine. Personnellement, j'ai choisi de réduire également ma consommation de fruits, car j'en mangeais beaucoup trop — souvent jusqu'à cinq par jour : une salade de fruits au petit déjeuner, une banane vers 10 heures, de l'ananas après déjeuner, une grappe de raisin et une ou deux mandarines dans l'après-midi ! Et ce, presque sans jamais me lever de ma chaise de la journée. Dans ma naïveté, j'étais persuadée que me nourrir de fruits ne pouvait me faire que du bien, mais j'ignorais que mon corps n'en demandait pas tant. S'il m'arrive encore d'agrémenter mes flocons d'avoine du matin de fruits rouges, j'ai intégré davantage de légumes dans mon alimentation. J'ai également essayé de restreindre sérieusement le miel, le sirop d'érable ou d'agave et tous les édulcorants naturels ou artificiels, ainsi que les autres aliments à indice glycémique (IG) élevé comme le pain, les pâtes et le riz, qui provoquent des pics de glycémie.

Tout cela peut paraître un peu déroutant, mais j'expliquerai par la suite plus en détail le pourquoi et le comment de ces mécanismes.

Cela étant, que les choses soient claires : je ne vous promets pas un chemin semé de roses. Il y a deux ans, je ne savais pratiquement rien des aliments que j'ingérais – et de ce que j'infligeais à mon organisme. J'ai décidé d'arrêter le sucre du jour au lendemain. Les trois premières semaines ont été dures et j'ai parfois pensé que je n'y arriverais jamais. Les tentations et les envies me harcelaient sournoisement. Mais j'ai tenu bon et les résultats ont été presque immédiats. En quelques jours, je me sentais mieux dans mon corps et j'avais perdu mon teint blafard. Au bout de quelques semaines, j'avais minci, ma peau était plus belle et je dormais mieux. Quand enfin je me suis affranchie des envies, j'ai eu l'impression de reprendre mon existence en main pour la première fois depuis longtemps. Aujourd'hui, je n'ai plus aucun mal à me passer de sucre. Sans être hypermince, je rentre dans un 38-40 et mon corps est beaucoup plus tonique. Je suis plus en forme et on me complimente pour ma peau éclatante. Je dors comme un bébé et je suis plus facile à vivre pour mon entourage. J'ai rarement faim et je peux sortir déjeuner ou dîner quand je veux, où je veux. Je n'ai besoin ni de compter mes points ou mes calories, ni de consulter des tas de tableaux. Je n'irais pas jusqu'à dire que je n'ai jamais envie d'une bonne glace à la menthe et aux pépites de chocolat, mais je n'ai plus le réflexe de me gaver de sucreries pour compenser un effort ou une longue journée de travail.

Je ne prétends pas non plus que le sucre soit le mal incarné. En soi, il n'a rien de mauvais. Consommé avec modération, ce n'est ni un poison ni un toxique. En prendre un peu de temps en temps n'a jamais tué personne. Ce sont les quantités que nous en absorbons qui en font un poison.

En vous faisant partager mon expérience, j'espère vous engager sur la voie de la santé, étant entendu que je ne prétends pas détenir la science infuse. Je ne suis ni nutritionniste, ni médecin généraliste, ni dermatologue. Je me suis entretenue avec ces spécialistes pour vous aider à vous défaire de votre dépendance au sucre – vous ne le savez peut-être pas encore, mais croyez-moi, vous êtes accro ! –, mais si vous n'êtes pas certain que cette méthode vous convienne, si vous êtes en surpoids, ou si vous suivez un traitement médical, je ne saurais trop vous conseiller de demander son avis à votre médecin avant de vous lancer.

Cette histoire est la mienne, celle d'une femme normale entrée dans la trentaine qui a décidé de trouver un équilibre pour être en bonne santé tout en profitant de la vie. J'y suis parvenue en réduisant le plus possible ma consommation de sucre. Puisque vous lisez ces lignes, vous avez déjà fait le premier pas pour changer de mode de vie et gagner en bien-être. Tournez la page et suivez-moi !

Chapitre 1

MA VIE D'AVANT

« Lorsque vous songez à laisser tomber,
rappelez-vous pourquoi vous avez commencé. »

À onze ans, je me fis prendre la main dans la confiture – ou plus exactement, dans la poubelle de la cuisine en train de récupérer des restes de crumble. C'était un dimanche et mes parents, ma sœur Natalie (de deux ans ma cadette) et moi sortions d'un bon repas autour de la table familiale. Pour moi, le rôti et les légumes n'étaient qu'une mise en bouche et j'attendais le véritable plat de résistance : le crumble aux pommes de maman.

Nous habitions Worthing, dans le Sussex. Dans les années 1930, à l'époque de la construction de notre maison, notre rue était un verger. Comme tous nos voisins, nous avions des pommiers dans le jardin, et chaque année, Natalie et moi étions chargées de trier les fruits tombés à terre : nous ramassions les bons dans de vieux cabas en plastique, jetant ceux qui étaient pourris sur le tas de compost – non sans pousser des hurlements d'horreur à chaque fois que nous tombions sur un ver. Les pommiers donnaient beaucoup et, même après la distribution aux grands-parents et aux amis, il nous en restait assez pour en manger pendant des semaines.

Tout au long de l'automne et de l'hiver, le crumble de maman était donc le dessert de rigueur et la pièce maîtresse de nos repas dominicaux. C'était à nous, les filles, que revenait la « corvée » de préparer la pâte. En fait de corvée, nous nous régalions à émietter le mélange de beurre, de sucre et de farine, parfois saupoudré de cannelle, en nous léchant consciencieusement les doigts et en chipant au passage quelques boulettes de beurre sucré. C'était d'ailleurs surtout pour ces petits plaisirs que nous acceptions de si bonne grâce de mettre la main à la pâte.

Ce dimanche, comme tous les autres, après avoir apporté les assiettes à dessert, j'eus naturellement droit à ma part de crumble. La croûte était dorée et grillée à la perfection : croustillante mais encore fondante. La compote de pommes fleurait bon la cannelle et, sous son nappage de sucre caramélisé, quelques raisins secs pointaient. J'en salive encore. Je me versai généreusement de la crème anglaise, fis passer le pot, et engloutis le contenu de mon assiette.

Après ce dessert, mes parents et ma sœur avaient fini de manger. Pas moi. Je réclamai une deuxième part. Maman fronça légèrement les sourcils et me découpa une toute petite tranche. Je m'empiffrais tandis que les autres bavardaient tranquillement, me jetant des regards réprobateurs, comme pour dire : « Tu ne crois pas que tu en as eu assez ? »

Non, je n'en avais jamais assez.

Après avoir dévoré ma deuxième part, je tendis la main vers le centre de la table pour picorer encore quelques miettes croustillantes au fond du plat. C'en était trop pour papa. Il explosa et j'eus droit à un sermon en règle sur cette sale habitude de manger avec les doigts, à une tirade véhémente sur les bonnes manières et, par-dessus le marché, à quelques sages conseils me rappelant qu'il fallait savoir s'arrêter quand on n'avait plus faim. Je ramenai piteusement mes petits doigts potelés devant mon assiette vide.

À onze ans, après un repas complet et deux parts de gâteau, je n'avais effectivement plus faim. Je me rappelle même cette sensation de ballonnement qui me plombait sur ma chaise. Mais c'était plus fort que moi. L'image de cette merveilleuse croûte dorée abandonnée à son sort ne cessait de me hanter. J'en voulais encore et encore, jusqu'à la dernière miette. Plus qu'une envie, c'était un besoin compulsif.

Nous débarrassâmes la table et tandis que les parents allaient se reposer au salon avec un verre de vin, je restai à traîner dans la cuisine, sous prétexte d'enregistrer sur ma radiocassette l'émission du hit-parade.

J'avais planifié mon opération « récupération du crumble » comme une bataille militaire. Je devais tout d'abord créer un écran de fumée pour me prémunir des éventuelles intrusions ennemies. J'accrochai donc sur la porte de la cuisine ma pancarte de circonstance : « N'ENTREZ PAS ! J'enregistre le hit-parade ! » Je pouvais maintenant passer à la première phase : retrouver le délice sucré, beurré et croustillant. Je savais bien qu'il n'en restait pas grand-chose, mais il me le fallait absolument.

Je ne fus pas longue à repérer l'objet de mes convoitises. Sachant que je n'y résisterais pas si elle le rangeait dans un placard ou au réfrigérateur, maman l'avait tout bonnement jeté à la poubelle. Il en aurait fallu davantage pour me décourager. J'étais prête pour la phase d'attaque : plongeant un bras dans la poubelle, je fourrageai parmi les pelures de légumes et repérai enfin ma proie. Je la récupérai aussitôt et, assise par terre, je repris mon ouvrage où je l'avais laissé, piochant dans les reliefs de pâte croustillante et m'empiffrant joyeusement.

C'est alors que la porte de la cuisine s'ouvrit. Mon père avait passé outre l'interdiction formelle de me déranger – gâchant au passage l'enregistrement d'un de mes tubes préférés – et me surprit en flagrant délit de gloutonnerie. Je ne savais plus où me mettre.

Je passe sur les détails de la suite de ce pénible épisode… Mes parents étaient furieux. Ils ne comprenaient pas que leur fille puisse aller fouiller dans la poubelle alors qu'elle sortait de table et avait mangé plus que de raison.

La réponse était pourtant simple : toute petite déjà, j'étais une gloutonne. Je me serais damnée par gourmandise – mais pas pour tout, bien entendu : mon appétit insatiable se focalisait exclusivement sur le sucré.

Contrairement à ma sœur, qui a toujours eu une silhouette longiligne et se serait contentée d'un croûton de pain au dessert, j'étais une enfant grassouillette et goulue qui avalait son repas à toute allure pour en finir au plus vite avec les plats obligatoires et arriver à la glace vanille-chocolat. Je n'avais aucun goût pour les chips et les amuse-gueule salés. À la tartine du matin, je préférais les Frosties ; au McDonald's du coin, je délaissais le hamburger pour des frites trempées dans un milk-shake (si, si, je vous assure, essayez, vous m'en direz des nouvelles…) ; et je sacrifiais tout mon argent de poche pour un bocal de ces irrésistibles bonbons multicolores et acidulés qui ont bercé mon enfance.

Ce n'est pas par plaisir que je lève le voile sur cet aspect peu reluisant de ma biographie. Il y a certes bien longtemps que je ne suis plus allée repêcher des restes dans la poubelle, mais vingt et un ans après le malheureux incident du crumble, mon profil alimentaire n'avait pas beaucoup évolué. Mes goûts étaient un peu plus raffinés – j'avais troqué la glace vanille-chocolat pour le mille-feuille citron-myrtilles, les Frosties pour du muesli, le milk-shake pour le mojito, et les bonbons pour la grande boîte de pop-corn – au caramel, comme il se doit. À trente-deux ans, je n'avais jamais vraiment éliminé les bourrelets de l'enfant dodue que j'étais. Je mesurais 1,78 m, pesais plus de 80 kilos et portais un bon 42-44.

Puis, le 25 juin 2012, après avoir fait huit kilomètres à vélo pour me rendre à mon bureau, j'ai simplement décidé d'arrêter de manger du sucre. Ce ne fut pas une révélation, je ne remâchais pas la question depuis des mois, je n'avais pas eu un choc en me pesant (je n'ai d'ailleurs jamais eu de balance chez moi) ni de grosse frayeur à propos de ma santé qui m'aurait poussée à revoir mon hygiène de vie ; je n'étais pas non plus tombée sous l'emprise d'une secte adepte de la mortification par le jeûne, ni même d'un gourou de la diététique. Je ne me sentais simplement pas au meilleur de ma forme depuis quelque temps, et ce jour-là, je compris qu'il était urgent de me reprendre en main.

Je me rappelle cet instant avec la même précision qu'un acteur se souvenant de la remise de son Oscar ou une mère du mariage de son aîné. C'était un beau lundi, chaud et ensoleillé, le premier jour du tournoi de Wimbledon. Après un printemps pluvieux et une rupture amoureuse encore fraîche, j'avais eu envie de m'aérer un peu avant d'attaquer une journée qui s'annonçait longue et difficile. Au lieu de prendre le métro ou un taxi, je dépoussiérai mon beau vélo Pashley et l'enfourchai pour faire le trajet de mon appartement de Brixton jusqu'à mon bureau de Kensington.

Je traversai lentement Battersea Park, puis m'engageai sur l'Albert Bridge pour franchir la Tamise. J'avais beau appuyer sur les pédales, j'avais l'impression de ne pas avancer. Pourquoi me sentais-je si molle ? Ces derniers temps, cette fatigue persistante m'inquiétait tellement que j'avais acheté un détecteur de gaz carbonique pour m'assurer que je n'étais pas insidieusement intoxiquée dans mon studio. Je ne voyais aucune autre explication. Mais non, ce n'était pas ça. Le mystère restait entier.

J'avais l'impression que ma vie et, avec elle, ma santé m'échappaient. J'étais à nouveau célibataire et mécontente de bien des aspects de ma carrière, mais ces frustrations ne suffisaient pas à expliquer qu'une jeune femme normale et en bonne santé – qui avalait des vitamines hors de prix par poignées, veillait à la qualité de ses aliments et faisait de l'exercice – ait pu attraper dix bonnes angines en l'espace de deux ans. Pourquoi, alors que j'allais à la gym et que j'étais suivie par un coach personnel, n'arrivais-je pas à me débarrasser de ces kilos superflus ? Pourquoi me réveillais-je plusieurs fois par nuit et avais-je un mal de chien à me rendormir ? Moi qui n'avais jamais eu de problèmes de peau à l'adolescence, je découvrais depuis quelques années les affres de l'acné. Je m'étais ruinée en crèmes et en soins du visage, mais en vain. Pour ne rien arranger, mes ridules et mes pores dilatés – signes irréfutables d'un vieillissement prématuré de la peau – se voyaient de plus en plus. J'avais des règles irrégulières et douloureuses, des poches sous les yeux, le regard terne… Au réveil, je n'avais qu'une envie : dévorer un paquet de biscuits au chocolat. Ces fringales de sucré ne me quittaient pas de la journée, et si je n'avais pas ma petite douceur en récompense de mes souffrances, j'étais d'humeur massacrante. Comment en étais-je arrivée là ?

Je n'y comprenais rien, et j'avais d'ailleurs l'esprit trop embrumé pour essayer d'analyser. Ce matin-là, je fis donc ce que je faisais toujours dans ce genre de situation : je m'accordais une récompense, puisque je venais de faire une activité saine. Dans mon esprit, le fait d'avoir pédalé une bonne demi-heure méritait salaire. Cela étant, je n'allais jamais chercher très loin un bon prétexte pour me faire plaisir. Comme tous les matins ou presque, je me dirigeai donc vers la chaîne de cafés-boulangeries belge qui avait eu la bonne idée d'ouvrir une franchise juste en face de mon bureau, et qui faisait un succulent parfait au granola bio.

Vous ne connaissez pas le parfait au granola ? Grave lacune !… Voici en gros à quoi cela ressemble : un gobelet de plastique transparent rempli d'un tiers de yaourt maigre, un tiers de salade de fruits et un tiers de granola (un mélange croustillant de flocons d'avoine, de graines et de fruits secs, lié au miel ou au sirop d'agave et doré au gril).

Pour accompagner le tout, je prenais généralement un grand verre de jus d'orange frais. Je me régalais, convaincue de donner à mon corps et à mon esprit une énergie aussi saine que savoureuse. Et du même coup, je consommais déjà au moins deux des « cinq fruits et légumes par jour » recommandés.

La question du petit déjeuner étant réglée, tout en continuant à pédaler, je m'inquiétais de ce que je pourrais bien manger à midi. Je me souvins que j'avais prévu de retrouver mon amie Olivia dans notre bar à sushis préféré. C'était un endroit que je fréquentais très régulièrement, autant pour ses sushis que parce qu'il était à un quart d'heure de marche de mon bureau, et qu'à mon sens, cette petite balade valait bien mieux que d'avaler un sandwich devant mon ordinateur.

Et pour le dîner ? Je rentrerais tard à la maison, car j'avais un rendez-vous de travail important dans un nouveau bar à la mode en fin d'après-midi. Le temps de discuter autour d'un ou deux verres, je pourrais encore me faire une assiettée de pâtes ou un plat rapide avant de me coucher. En approchant du bureau, j'étais rassurée de savoir mon parcours alimentaire de la journée parfaitement balisé. C'était déjà une bonne chose de faite.

Puis, au moment de sortir mes 10 euros pour régler mon petit déjeuner (oui, je sais, c'est de l'escroquerie !), l'évidence m'apparut : le gobelet que je tenais à la main était manifestement un concentré de sucres. Était-ce vraiment une aussi bonne idée que ça de commencer chacune de mes journées par un parfait au granola ? Avec un jus d'orange, par-dessus le marché. Ma très chère et très svelte amie Jane me serinait depuis des années que le jus d'orange était la boisson du diable, car il « contient tout le sucre des fruits, mais pas la pulpe ni les fibres aux vertus bienfaisantes ».

Soudain, je pris peur. Mes petits-déjeuners ruineux étaient probablement beaucoup moins sains que je ne l'imaginais.

En poussant la porte de mon bureau avec mon parfait dans une main et mon jus d'orange dans l'autre, je repensai à mes projets pour midi. Une bonne ration d'énergie le matin ne pouvait pas me faire de mal si je me contentais d'un déjeuner sain et léger, me dis-je. À ce titre, les sushis – le péché mignon des stars et des top modèles d'un bout à l'autre de la planète – étaient certainement ce qu'il y avait de plus diététique.

Par acquit de conscience, j'allais tout de même faire une petite recherche sur Google. Si les sushis sont effectivement pauvres en graisses saturées, ils n'ont aucune des qualités diététiques que je leur avais toujours prêtées. Le poisson est certes excellent (de toute façon, il y en a si peu qu'il ne pourrait pas faire de mal), mais le riz blanc – un glucide raffiné qui se transforme en sucre dans l'organisme – est souvent mariné dans le sucre et le mirin (du saké fermenté et sucré), qui le rendent collant et lui donnent sa saveur si particulière. J'appris ainsi que ces innocents petits rectangles de riz surmontés d'une lamelle de poisson dont je faisais la plupart de mes déjeuners sont en réalité une véritable « bombe de sucre ».

Et là, ça a fait tilt. Mon petit déjeuner était bourré de sucre. Sur le coup de 10 heures, j'enchaînais avec une banane (du sucre), ou une poignée de raisins secs (encore du sucre), ou d'autres fruits séchés (toujours du sucre) pour combler le petit creux de la matinée. Mon déjeuner, comme je le savais maintenant, était loin d'être diététique et je continuais l'après-midi à grignoter mes en-cas toujours aussi sucrés. Si je comprenais bien, je n'avalais pratiquement que du sucre de toute la journée, et très peu de protéines. En l'espace d'un instant, tout mon univers bascula.

Puisque je n'ajoutais jamais de sucre dans quoi que ce soit et que je ne consommais pas beaucoup de graisses saturées, j'étais persuadée de manger sainement. Je vivais à cent à l'heure, dopée par le stress, et j'avais besoin de petites collations rapides et nourrissantes pour tenir le coup.

Le reste de mon alimentation était à l'avenant. Il ne me serait jamais venu à l'esprit de déjeuner d'un hamburger, d'une pizza ou de *fish and chips* (tout cela fait beaucoup trop grossir, c'est bien connu), mais je prenais volontiers un plat à base de riz blanc, puis, quelques heures plus tard, une barre de chocolat ou une pâtisserie et, en guise de goûter, des raisins secs, de l'ananas ou des mangues séchées et un Coca Light – voire du vrai dans les jours particulièrement difficiles – et, du matin au soir, je puisais sans retenue dans mon stock de mandarines ou de raisins. Au lieu de « cinq fruits et légumes », je n'étais pas loin de dix rations, et principalement des fruits.

À travailler dans la presse écrite, je m'étais habituée aux longues journées stressantes et aux bouclages nocturnes. Dans le meilleur des cas, je rentrais chez moi vers 20 heures. Bien que je n'aie jamais cédé à la tentation des plats tout prêts à réchauffer (car j'ai toujours refusé d'avoir un micro-ondes), je me faisais souvent une poignée de légumes « diététique », assaisonnée à la sauce chili aigre-douce et accompagnée de riz blanc ou de pâtes, avant de m'effondrer sur mon canapé avec un verre de vin rouge.

Ça, c'était dans les bons jours.

Il n'était pas rare que je quitte le bureau à 22 heures, après une journée presque continue de douze heures. Je rentrais alors en taxi et, bien entendu, comme je n'avais pas eu le temps de faire des courses, je retrouvais un frigo vide. Je me rabattais alors sur les réserves du congélateur – à savoir un gros pot de glace à la pâte de cookies et aux pépites de chocolat, arrosé d'un verre de vin rouge.

Je me faisais fort de ne pas acheter trop souvent de plats à emporter, que je soupçonnais – à juste titre – de ne pas être très équilibrés. Tout au plus m'autorisais-je de temps en temps un repas thaï. Mais en ce matin du 25 juin 2012, après ma prise de conscience fulgurante, un doute m'assaillit. Je vérifiai la composition de mon plat thaï préféré sur Internet. Horreur ! La cuisine thaïe est à peu près ce qui se fait de plus sucré ! La sauce chili aigre-douce en est un exemple flagrant, mais il y a également le sucre de palme, moins visible, ajouté aux sauces et aux currys. Cela ne m'avait jamais effleurée.

J'ai la chance d'avoir de très bonnes amies et j'adore sortir en ville avec elles. Mais à bien y réfléchir, à quoi passions-nous notre temps ? À bavarder autour d'un bon dîner ou de quelques verres. « Garçon, une piña colada ! » Aïe…

Je n'en revenais pas. J'entretenais une longue histoire d'amour avec la nourriture, mais je commençais à comprendre que, comme souvent dans ma vie sentimentale, j'avais tiré le mauvais numéro. De même que les hommes de ma vie, mes repas étaient des compagnons qui prenaient beaucoup, mais n'offraient rien en retour. Les diététiciens s'accordent en effet à dire que les sucres raffinés – ceux qui ne sont pas naturellement présents dans les fruits, les légumes, les produits laitiers, etc. – n'ont strictement aucune valeur nutritive. S'ils procurent un boost d'énergie éphémère, ils n'apportent que des calories à l'organisme – des « calories vides ». Et, contrairement à ce que tente de nous faire croire une industrie du sucre qui représente un marché de plusieurs milliards d'euros, l'organisme n'a nullement besoin de sucres ajoutés pour reconstituer sa réserve de glucides (ou d'énergie). Lorsque j'avalais un smoothie aux fruits, une banane ou une barre chocolatée avant de rentrer à la maison à vélo, j'avais encore tout faux.

Ces produits sucrés étaient donc inutiles. Pourtant, si je les éliminais tous, il ne me resterait pas grand-chose à me mettre sous la dent.

Je tombais de haut. Jusqu'alors, je pensais avoir un régime plutôt équilibré – que dis-je, j'en étais *convaincue*. Je respectais le précepte des cinq fruits et légumes minimum ; je buvais beaucoup d'eau ; je n'avais que mépris pour les sandwichs au bacon de la cantine et n'achetais jamais de pain au chocolat le matin. Au restaurant, je choisissais toujours le riz plutôt que les frites en garniture. J'évitais les fritures et m'efforçais de manger aussi peu de viande que possible – en partie parce que, à vingt-sept ans, on m'avait découvert une cardiomyopathie hypertrophique, une anomalie cardiaque génétique associée à un risque de mort subite. La maladie se caractérise par un épaississement des parois du muscle cardiaque. Je n'avais aucun symptôme et rien ne laissait présager une aggravation, mais pour ne pas fatiguer mon cœur, je devais prendre des bêtabloquants tous les jours. Je dus apprendre à vivre avec cette épée de Damoclès au-dessus de la tête.

Je n'étais pas une grande buveuse, mais la nouvelle m'alarma suffisamment pour me convaincre de réduire ma consommation d'alcool du jour au lendemain – ce qui, pour une journaliste, était une vraie gageure. Dans la foulée, je pris de bonnes résolutions : éviter les graisses et faire beaucoup d'exercice. J'avais beau faire du sport et bouger, ma bonne douzaine de kilos superflus s'accrochait obstinément sur mes hanches et mon ventre. J'en conclus, sans aucun argument médical, que les bêtabloquants devaient ralentir mon métabolisme. Étrangement, j'avais les bras et les jambes plutôt minces, mais la graisse s'accumulait aussi sur mon dos, juste sous le soutien-gorge, à l'endroit que l'on aperçoit parfois dans les doubles miroirs des cabines d'essayage. Sans avoir un ventre rebondi, je sentais mes bourrelets quand je m'asseyais – et parfois même quand j'étais debout. Il n'y avait rien à faire pour les déloger. À croire qu'ils étaient fixés à la colle extraforte.

Bien que je ne me sois jamais trop souciée de mon poids – mes amoureux s'en accommodaient et je n'ai pas le souvenir qu'il m'ait attiré des commentaires désobligeants –, mon ventre rondouillard commençait à me complexer. Je savais pertinemment que si je n'étais pas bien dans ma peau, c'était aussi parce que je ne me sentais pas bien dans mon assiette, dans tous les sens du terme.

C'est ainsi que ce matin du 25 juin, je décidai d'arrêter le sucre sur-le-champ. Je voulais modifier mes habitudes alimentaires pour mon tour de taille, mais aussi, et surtout, pour ma santé. Il était hors de question de faire un « régime ». Je déteste les régimes. La perspective d'avoir à calculer ses calories, peser chaque aliment, remplir des colonnes de tableaux, compter ses points et savoir ce à quoi on a droit le lundi mais pas le mardi a déjà de quoi décourager les meilleures volontés. De plus, après avoir vu tant de gens suivre vainement des programmes d'amaigrissement – de la diète hyperprotéinée version Dukan au régime hypocalorique façon Weight Watchers, en passant par la cure de soupe aux choux –, j'étais persuadée depuis longtemps que ces méthodes ne marchent pas sur le long terme. Je sais bien que beaucoup ont obtenu des résultats et je ne dis pas qu'en eux-mêmes, ces régimes sont mauvais, mais je pense qu'il est pratiquement impossible de les suivre indéfiniment. Qui dit régime, dit restrictions, et donc frustrations. Et inversement, ce n'est pas avec un régime qui recommande de manger des pommes de terre, des pâtes et des sandwichs à gogo, de sucrer ses boissons avec des édulcorants et de ne jamais se refuser un verre de vin – autant de stratégies décriées par la plupart des nutritionnistes – que l'on acquiert de bons réflexes nutritionnels pour garder un poids idéal jusqu'à la fin de ses jours. J'ai toujours pensé que les programmes qui qualifient certaines catégories d'aliments de « mauvaises », mais vous autorisent tout de même à en manger une petite quantité chaque jour ne sont ni un modèle alimentaire sain ni un gage de perte de poids durable.

Je me sentais en revanche tout à fait capable de supprimer une grande partie de mes apports en sucre, où que je sois et en toute compagnie. Pas de système de points, pas de décompte de calories, pas de seuil d'alerte. Les règles me paraissaient très simples. Je dressai une liste de tous les produits à éliminer :

• L'alcool. Hum, ça, ce serait peut-être le plus dur…
• Les aliments industriels : pâtisseries, pain, bonbons, biscuits, crèmes glacées, riz au lait, sauces, etc.
• Les édulcorants artificiels, qui dénaturent le palais et entretiennent l'envie de sucré. (Des chercheurs de l'université de Harvard ont établi que l'un d'entre eux, le néotame, est 13 000 fois plus sucré que le saccharose !)
• Et enfin les fruits, non à supprimer totalement, mais à réduire sérieusement.

J'équilibrerais mon apport en éléments nutritifs en augmentant ma ration de légumes et j'éviterais autant que possible les glucides raffinés – pâtes, pain, riz blanc, céréales raffinées et pommes de terre –, autant de produits à IG élevé (l'indice glycémique classe les aliments en fonction de leur capacité à élever la glycémie, le taux de glucose dans le sang). Ce type d'aliments stimule la sécrétion d'insuline, hormone qui régule la glycémie et stocke le glucose excédentaire sous forme de graisses. Une consommation excessive de sucres n'est bonne ni pour le cerveau, ni pour le tour de taille ni pour l'ensemble de l'organisme.

J'étais bien consciente de l'ampleur des changements qui m'attendaient. Bonne vivante par nature, j'avais toujours été réfractaire à la moindre privation, et éliminer le sucre et tous les plaisirs qui lui étaient associés m'obligerait à modifier de A à Z non seulement mon alimentation, mais mon mode de vie. S'il était une chose qui pouvait me gâcher la journée et me mettre en rogne, c'était la sensation de faim et, puisque j'allais devoir supprimer pratiquement tout ce que j'aimais, j'allais sûrement être servie !

Je craignais également que ma vie sociale n'en pâtisse. Toutes mes amies étaient comme moi : des jeunes femmes gaies, insouciantes et heureuses qui appréciaient la bonne chère sans pour autant être obsédées par la nourriture – du moins, pas à ma connaissance. Je me voyais mal dans le rôle de la névrosée qui mange avant d'aller au restaurant et fait ensuite semblant de ne pas avoir faim parce qu'aucun plat du menu ne lui convient (ce qui, à Londres, vaut pour beaucoup de restaurants).

Comment allais-je préparer mes repas ? Parviendrais-je à survivre sans desserts ? J'adore faire des gâteaux, pour mes amis comme pour moi. Ma recette de brownies légers comme l'air avait le don de guérir tous les maux et de faire oublier tous les tracas du quotidien. Pourrais-je encore accepter les invitations à dîner ? Comment allais-je bien pouvoir faire la conversation à des inconnus sans quelques verres d'alcool et un dessert pour me donner du courage ?

Et, bien sûr, je pensais aussi à ma vie amoureuse. Une histoire d'amour sans caramels, bonbons et chocolat ? C'était impensable ! Si vous trouviez déjà que j'y allais plutôt fort sur le sucre, vous ne savez pas tout… À l'époque où je vivais avec mon compagnon – appelons-le Chris –, je n'aurais jamais pu envisager de me passer de sucreries. Épicurien dans l'âme, Chris avait le chic pour flatter mes pires instincts de gourmande. Nous passions régulièrement nos soirées dans les pubs et les bars, à boire des cocktails et, en rentrant à la maison, sur le coup de 3 heures du matin, il demandait au chauffeur de taxi de s'arrêter devant le premier supermarché ouvert pour aller faire une razzia sur les confiseries et les sodas. Pour lui, une sortie au cinéma ne pouvait pas être réussie sans un carton géant de pop-corn sucré qu'il agrémentait de chocolats, et dans lequel nous plongions à quatre mains, pressés de voir lequel de ces délices nous piocherions. C'était un cauchemar de dentiste, et j'adorais ça !

Mais Chris était sorti de ma vie et un nouveau chapitre de mon existence s'ouvrait. Au lieu de ressasser des pensées négatives, je décidai de mettre de côté tous les inconvénients supposés de l'arrêt du sucre et de gérer les problèmes à mesure qu'ils se présenteraient. Pour l'heure, l'objectif numéro un était de rentrer dans le maillot de bain deux pièces blanc taille 40 que j'avais repéré pour mes vacances en Espagne. J'avais sept semaines pour relever le défi.

En dépit de mon caractère bien trempé et de ma volonté d'acier, je savais que je n'y arriverais pas seule. J'aurais besoin de soutien. Parmi la joyeuse bande de trentenaires avec lesquelles je passais mes soirées, je ne voyais pas grand monde qui accepterait de sceller un pacte « zéro alcool » pour mes beaux yeux. L'idée de troquer les cookies au caramel salé pour des biscuits à l'avoine ne serait sans doute pas mieux accueillie.

Faute d'alliées en chair et en os, je me rabattis sur ma librairie en ligne et, d'un clic, je mis dans mon panier le programme minceur du célèbre coach sportif James Duigan. Ce livre était considéré comme la bible de l'alimentation hypoglucidique et il serait ma feuille de route pour me guider vers mon nouveau moi, sain et svelte. Il arriva le lendemain matin à la première heure. Je l'ouvris aussitôt et lus ceci : « En premier lieu, il faut bien comprendre que poids et santé sont indissociables. […] Le surpoids est un symptôme de mauvaise santé. […] Vous devez être persuadé que vous pouvez y arriver. Même si vous avez souvent essuyé des échecs par le passé, souvenez-vous que votre passé n'est pas votre avenir. Pour l'heure, l'essentiel est de vous concentrer sur ce que vous voulez, d'identifier ce qu'il vous faut faire pour l'obtenir, et de prendre des mesures sur le long terme. Votre santé et votre bonheur sont importants, alors tenez bon. »

Je me jurai de tenir bon. Le programme Duigan débute par une phase d'attaque de 14 jours, plutôt stricte mais faisable. Au lieu de diaboliser les écarts et de vous les faire payer chèrement, il vous invite à passer l'éponge et à poursuivre le programme comme si de rien n'était. Ma décision était prise. Je suivrais ses préceptes à la lettre, quitte à arrêter d'un coup tous les aliments que j'aimais. Je ne savais pas trop combien de temps je tiendrais – mon régime Dukan avait fait long feu –, mais en choisissant de réduire le sucre, je n'avais pas vraiment l'impression de me « mettre au régime ». Je ferais de mon mieux, car je comprenais enfin que beaucoup des petits soucis qui me minaient depuis quelque temps – des rides aux bourrelets sur le ventre et dans le dos, et des sautes d'humeur aux coups de pompe – étaient autant de symptômes flagrants d'une surconsommation de sucre. Il était grand temps d'inverser la vapeur.

Je joignis aussitôt le geste à la pensée. Avant de partir au travail, je jetai tous les produits sucrés qui encombraient mes placards de cuisine. J'en remplis trois grands sacs-poubelle. Quatre pots de miel – dont un d'Hawaii, qui avait un goût de fondant au chocolat et m'avait coûté une fortune –, au panier. Mes sirops préférés – sureau et citronnelle-gingembre – et les briques de smoothies que j'avalais chaque matin au saut du lit, dans l'évier. Les sauces préparées, les dips industriels et les ketchups disparurent dans la tornade. Puis, je préparai un carton : céréales, pâtes, riz, plaquettes de chocolat noir, biscuits, bières et alcool, et le déposai devant la porte de mon voisin Sam, un rugbyman de 1,95 mètre, aussi accro au sucre que moi, et dont je savais qu'il n'en ferait qu'une bouchée.

Restait le congélateur, où attendaient trois pots encore intacts de glace aux cookies. Je les descendis directement dans la grande poubelle avant le passage des éboueurs.

Mission accomplie. Je remontai et inspectai mes placards. Ils étaient pratiquement vides. Je ne pouvais plus faire marche arrière. Bien entendu, je ne supprimerais jamais totalement le sucre de mon alimentation. Une diète « sans sucre » est impossible. Tout au plus peut-on parler de régime hypoglucidique. Les glucides sont présents, en diverses concentrations, dans toutes sortes d'aliments naturels nourrissants et très sains : fruits, légumes (épinards et choux, par exemple, excellents pour la santé), produits laitiers (lait, fromages), céréales complètes (riz brun, épeautre, quinoa) et fruits à coque (amandes, noix, noisettes). Il me faudrait mettre au point ma formule aussi pauvre que possible en mauvais glucides, tout en restant moi-même – mais une version de moi-même moins enrobée de sucre.

J'étais tout à la fois euphorique et enthousiaste, déprimée et terrifiée. Comment allais-je tenir jusqu'au soir sans mes « pauses récompenses » ? Le parfait au granola pour commencer la journée d'un bon pied, la banane après la conférence de rédaction, l'ananas pour digérer le déjeuner, la barre de chocolat avant les réunions de l'après-midi, ma dose de Coca avant de pédaler… Bah, je verrais bien… J'enfourchai mon vélo et filai au bureau.

Cette première journée se déroula sans accroc. Je notai mes menus dans les pages « mémo » de mon exemplaire du livre de James Duigan. Petit déjeuner à la cantine : œufs, champignons grillés et une tasse de bon café. Déjeuner : une grosse salade composée sans vinaigrette, achetée dans la grande boutique diététique située juste au pied du bureau. À l'heure du goûter, l'envie de sucre me titillait et j'avais les nerfs à fleur de peau mais, au lieu de ma poignée de bonbons habituelle, j'optai pour deux biscuits d'avoine trempés dans du hoummous. Pour le dîner, ce fut poulet grillé, avocat en tranches et salade épinards-roquette-cresson avec une larme d'huile d'olive. En guise de dessert, un petit yaourt à la grecque entier saupoudré d'amandes effilées grillées et d'une pincée de cannelle. En boisson : uniquement de l'eau plate. À 21 h 30, j'étais au lit. Le premier jour était passé comme une lettre à la poste.

Le deuxième jour fut en revanche un calvaire. Je me réveillai avec un mal de crâne épouvantable, comme si pendant la nuit, quelqu'un m'avait retiré le cerveau pour le remplacer par un tas de shrapnels qui battait contre mes tempes et me transperçait les tympans. Le simple fait de remuer la tête me mettait à l'agonie et me donnait la nausée.

Je n'aurais jamais pensé que me priver de sucre – un ingrédient dont beaucoup prétendent qu'il ne crée aucune dépendance – puisse provoquer une réaction physique aussi violente. J'expédiai tant bien que mal ma journée de travail, buvant autant d'eau que possible, mais mon état ne faisait qu'empirer. Entre les courbatures, le mal de crâne tenace et une immense fatigue, j'avais l'impression d'avoir attrapé la grippe. En fin d'après-midi, incapable de remonter sur mon vélo, j'appelai un taxi. Pliée en deux comme une petite vieille, je titubai jusqu'à la voiture. Arrivée chez moi, je montai mes deux étages d'un pas chancelant, et je m'affalai sur mon canapé, les yeux rivés au plafond, malade comme un chien.

J'avais la tête dans un étau depuis le matin et les martèlements ne m'avaient pas laissé une minute de répit. Et voilà que maintenant, c'étaient mes yeux qui me lâchaient : l'image à la télévision paraissait floue, je n'arrivais plus à faire le point. Pire, l'esprit farceur qui avait remplacé mon cerveau par des shrapnels m'avait aussi collé du papier de verre à l'intérieur des paupières. Chaque fois que je clignais des yeux, une atroce sensation de brûlure me parcourait tout le corps. Je me sentais si mal que je craignais soit d'avoir été empoisonnée, soit de couver une grave maladie.

Je rêvais d'un vrai Coca pur sucre et d'un tube de Smarties. Mon envie de sucré tournait à l'obsession et je n'arrivais pas à chasser ces images qui tournaient en boucle dans mon esprit. Était-ce simplement l'effet du manque, ou un symptôme plus inquiétant ? Pour en avoir le cœur net, je ne voyais qu'une solution : reprendre un peu de sucre.

Et ce fut ainsi qu'une fois de plus, j'allai fouiller dans la poubelle, pour en extraire la bouteille de sirop de citronnelle-gingembre que j'avais vidée dans l'évier la veille. Par chance, il en restait une goutte. Je la diluai dans un fond d'eau et retournai la siroter dans le canapé en regardant un résumé des matchs du jour à Wimbledon. Le miracle opéra : en quelques minutes, mon mal de crâne avait disparu et je retrouvai ma belle énergie et ma bonne humeur. L'expérience était concluante – et terrifiante : le supplice que j'endurais depuis le matin n'avait donc rien à voir avec une improbable grippe chopée en plein été. J'étais en train de me désaccoutumer du sucre et, manifestement, le processus serait plus douloureux que je ne l'avais imaginé.

J'avoue que l'idée de faire machine arrière m'effleura. Je me dis qu'au lieu d'arrêter d'un seul coup, je pourrais peut-être réduire progressivement mes apports en sucre. Éliminer certains aliments et en garder d'autres. Mais au fond de moi-même, je savais que si je laissais un doigt dans l'engrenage, je ne me déferais jamais de ma dépendance – car, bien que les spécialistes ne soient pas tous d'accord sur ce point, je suis maintenant convaincue que c'est bien d'une dépendance qu'il s'agit. Dans son livre, James Duigan recommande de « ne pas suivre religieusement chaque règle », ce qui est incontestablement un sage conseil. Mais je me connaissais. Si je m'autorisais le moindre écart – un smoothie le matin, des gâteaux les jours de fête –, je retomberais peu à peu dans mon addiction à cette substance que mon père qualifie depuis longtemps de « poison blanc ». Ces deux derniers jours m'avaient fait comprendre combien il était urgent de me sevrer.

Le temps que je me traîne jusqu'à mon lit, à 22 heures, les effets de ma petite dose de sirop s'étaient dissipés. Le mal de tête était revenu et je tenais à peine sur mes jambes. Je me glissai entre les draps, mais le sommeil me fuyait. Je comptais les heures : 23 heures, minuit, 1 heure, 2 heures… Impossible de fermer l'œil. J'étais tout à la fois agitée et épuisée.

Au lieu de me focaliser sur mes misères, j'essayai de voir le bon côté des choses. Premier avantage, je n'aurais plus jamais à recommencer ce deuxième jour de détox, ce qui était déjà une excellente nouvelle. En 48 heures, j'avais déjà parcouru un bout du chemin qui me mènerait à la nouvelle Nicole, plus en forme, plus légère, moins obsédée par la nourriture. J'attendais avec impatience le moment où mes coups de pompe disparaîtraient, et je rêvais de vivre chaque journée sur un long fleuve tranquille, de m'affranchir de mes envies compulsives et de mon absurde attirance pour la malbouffe. Je trouverais bien le moyen de compenser mes petites contrariétés du quotidien et de me récompenser après une séance de gym sans me faire grossir ni me rendre malade ou accélérer le vieillissement de ma peau.

La grande majorité des médecins, nutritionnistes, cardiologues, cancérologues, immunologues, endocrinologues et autres spécialistes, ont tiré la sonnette d'alarme quant aux risques sanitaires liés à la surconsommation de sucre dans les pays occidentaux. J'étais désormais prête à suivre leurs recommandations, mais il me restait à trouver un juste équilibre pour manger sainement sans perdre ma joie de vivre.

Je ne regretterais rien de toutes les souffrances de ces deux premiers jours lorsque je pourrais enfin rencontrer un homme sans me dire que la première chose qu'il verrait en moi serait mon visage piqueté d'acné ; quand je pourrais porter un jeans moulant sans être complexée par mes cuisses flasques. Je me motivai en songeant que dans quelques semaines, je me pavanerais sur la plage dans mon deux-pièces blanc.

Pour l'heure, j'avais besoin de soutien et je n'avais personne à qui confier mes états d'âme. En désespoir de cause, je fis ce que fait toute personne vivant avec son siècle : je me tournai vers les réseaux sociaux. Le 26 juin 2012, j'écrivis sur ma page Facebook : « J'essaie d'arrêter le sucre. J'en suis au deuxième jour et j'ai une migraine à me cogner la tête contre les murs. Encore 12 jours à tenir. Avis à la population… faites gaffe, je mords ! »

Mes merveilleux amis m'inondèrent aussitôt de messages d'encouragement. « C'est la meilleure décision de ta vie. Bon courage », écrivit Ali. « Tu vas y arriver ! Moi, j'ai commencé à limiter le sucre et je me sens déjà mieux », renchérit Bruno. Martha m'apporta aussi son témoignage : « En gros, c'est l'enfer pendant quatre jours, mais tu seras tellement fière d'avoir tenu quelques semaines que le jeu en vaut la chandelle (et en plus, tu auras une belle peau éclatante…). » Jill intervint à son tour : « Je suis passée par là il y a trois ans, et je n'ai tenu que deux jours. J'avais l'impression qu'on me passait un tube de heavy metal en boucle dans le cerveau. L'horreur ! »

J'avais été prévenue.

Chapitre 2

PREMIÈRES SEMAINES

J'essayais d'oublier le rythme effréné du heavy metal. Mais le lendemain matin, j'avais toujours des martèlements dans la tête, peut-être encore plus violents que la veille au soir. J'avais l'impression que mon cerveau s'était ratatiné et cognait au moindre mouvement contre ma boîte crânienne. À chaque battement, une douleur lancinante irradiait dans mon front, comme si l'on m'avait coiffée d'une couronne de fil barbelé. Atroce.

Pour ne rien arranger, j'étais tellement mal fichue que je ne m'étais pas endormie avant 4 heures du matin. Puis j'avais dormi par à-coups, me réveillant à plusieurs reprises inondée de sueur. À 8 heures, il m'avait fallu m'extraire de mon lit pour entamer une nouvelle journée.

Pour ne pas perdre de vue ce qui m'avait poussée à m'infliger tant de souffrances, je dressai une liste de 6 bonnes raisons de persévérer. Elle m'aiderait à surmonter les moments de découragement et à résister à la tentation – qui tournait déjà à l'obsession – de tout envoyer balader et d'attaquer à la cuillère un grand pot de crème glacée. Je la placardai bien en évidence sur mon réfrigérateur désespérément vide :

- **Ménager mon cœur**
  La consommation excessive de sucre est liée à l'obésité, qui est elle-même un facteur de risque de maladies cardio-vasculaires et peut provoquer une défaillance de la pompe cardiaque. On n'a qu'un cœur et on ne peut pas vivre sans. Il faut donc bien le traiter.

- **Surveiller mes hormones pour limiter les risques de cancer**
  À force d'absorber du sucre, l'organisme peut devenir résistant à l'insuline. Or, plusieurs études ont établi un lien entre

le syndrome d'insulino-résistance et certaines formes de cancer.

- **Préserver mon foie**

Il a été scientifiquement établi qu'un régime trop riche en sucre provoque autant de dégâts que l'abus d'alcool.

- **Perdre mes poignées d'amour**

Comme chacun le sait, manger trop de sucre fait grossir. Et le surpoids peut être à l'origine de graves problèmes de santé, comme le diabète.

- **Garder une peau jeune**

Si le plaisir éphémère d'une barre de chocolat va avec un visage creusé de rides à 40 ans, la décision est vite prise, non ?

- **Dormir comme un bébé**

Que ne donnerait-on pas pour une nuit de sommeil ininterrompue ? En fait, la recette est très simple : renoncer aux sodas et éviter le chocolat.

Je ne me sentais pas bien du tout. À vrai dire, je m'y attendais. Certains spécialistes affirment que le sucre ne crée aucune dépendance. Pourtant, une simple recherche sur Internet sur les effets du sevrage révèle ce que savent tous ceux qui ont un jour essayé d'arrêter le sucre : c'est une véritable épreuve. Sur les forums, les témoignages sont formels : l'expérience est douloureuse et exténuante.

Je n'ignorais pas que j'étais accro au sucre. Sérieusement accro – physiquement, affectivement et moralement. J'appréhendais les symptômes physiologiques que j'allais m'imposer dans les jours et les semaines à venir, et que j'imposerais du même coup à mes malheureux collègues et amis : tremblements, passages à vide, nausées, éruptions de boutons, coups de pompe, maux de tête, irritabilité. Les premiers signes de manque n'avaient d'ailleurs pas tardé à apparaître : depuis 48 heures, je voyais incessamment défiler dans mon esprit tous les produits proscrits – des plus évidents (sodas, sachets de bonbons, barres de chocolat) jusqu'aux aliments transformés riches en glucides et, de préférence, à IG élevé (pain blanc, riz blanc). Je finissais par ne plus penser qu'à ce que je ne pouvais *pas* manger. Rassurez-vous, ce cauchemar ne dura pas longtemps, mais il me laissa une curieuse impression. Je n'avais jamais eu conscience d'avoir un besoin chronique de sucre, sans doute parce que je satisfaisais souvent mes envies avant qu'elles ne deviennent obsessionnelles en me gavant de douceurs et de friandises.

Ce phénomène d'accoutumance est pourtant bien réel, et plus courant qu'on ne pourrait le croire. En 2013, les chercheurs de la fondation New Balance du Centre de prévention de l'obésité de Boston ont prouvé à partir de scanners cérébraux que le sucre pouvait créer le même type d'addiction physique que les drogues dures et stimulait les mêmes centres de plaisir. Ce qui, au-delà du fait que leur goût me plaisait vraiment, expliquait peut-être en partie pourquoi plus je mangeais de sucreries, plus j'en avais envie.

Je conçois que si vous essayez d'arrêter le sucre ou si vous y songez, mon témoignage pourrait vous faire réfléchir à deux fois. Le secret de la réussite tient en un mot : mo-ti-va-tion ! Au lieu de vous focaliser sur les frustrations immédiates, pensez à tous les bénéfices à long terme. Dans les premiers temps, chaque fois que mes collègues faisaient circuler une boîte de biscuits au bureau, je luttais pour ne pas craquer en me rappelant que ma vraie récompense viendrait deux mois plus tard, quand je me glisserais dans un pantalon d'une, voire de deux tailles de moins. Je m'efforçais aussi de me dire que, dans quelques jours, je serais plus en forme que je ne l'avais été depuis des mois, et que mon état continuerait de s'améliorer. Cela étant, je ne comprenais pas pourquoi j'éprouvais de si violents symptômes de manque. J'ai depuis posé la question à Ian Marber, et voici ce qu'il m'a répondu : « Lorsque l'on arrête le sucre, on passe inévitablement par ces sensations de manque. Dans votre cas, j'imagine que votre glycémie était au plus bas, que vous manquiez de protéines et que vos surrénales étaient trop sollicitées, ce qui explique que vous ayez ressenti ces hauts et bas si marqués. Une surconsommation de sucre épuise les réserves de l'organisme en vitamines B (qui participent à la production d'énergie, maintiennent les fonctions cérébrales et nous aident à garder l'esprit vif et clair). D'où les sensations de brouillard mental que décrivent souvent les gens au début de leur sevrage.

Un autre facteur tient au fait qu'un excès de sucre provoque souvent une prolifération de bactéries qui se nourrissent exclusivement des sucres dégradés dans les intestins. Dès que vous leur coupez les vivres, elles réclament leur dose de sucre et déclenchent une réaction inflammatoire qui se traduit par des coups de fatigue.

Voilà pour le processus biochimique. Mais prenons une image plus parlante : supprimer le sucre revient un peu à changer de réservoir. Le sucre sous sa forme simple fournit énormément de carburant à l'organisme. Si on le lui retire, votre système devra déployer davantage d'efforts pour aller chercher son énergie dans son réservoir de secours, à savoir les glucides complexes (le pain complet, les lentilles, les légumes riches en amidon). Si vous lui enlevez aussi ces glucides – ou même si vous les limitez, comme on le fait souvent quand on essaie d'arrêter –, il lui faudra aller puiser encore plus profondément dans les réserves de graisse – ce qui, en gros, revient à entamer son compte épargne après avoir prouvé à son banquier qu'on était incapable de gérer son argent. »

Le repas qui me manquait le plus était incontestablement le petit déjeuner. C'était pour moi *le* moment privilégié de la journée.

Petit flash-back : Orlando (Floride), 1992. Une gamine potelée de treize ans, les cheveux coupés au carré (avec une frange), une paire de baskets montantes flambant neuves, un tee-shirt Esprit beaucoup trop grand sur le dos, goûte pour la première fois des gaufres au sirop d'érable. Cette gamine, c'était moi. La découverte de ces gaufres détrempées de sirop fut une révélation, un tournant décisif dans mon existence. Si mes parents m'avaient laissée faire, je m'en serais régalée tous les matins – et tous les midis et tous les soirs – pendant les trois semaines de notre séjour.

Bien sûr, dès que j'ai commencé à me soucier de ma silhouette et que j'ai compris qu'il y avait un lien entre ma consommation chronique de douceurs et mon tour de taille, je m'en suis courageusement détournée. Il m'en est néanmoins resté la solide conviction que l'on ne peut débuter sa journée du bon pied sans un petit déjeuner copieux et roboratif pris tranquillement à table, avec un thé ou un café et tout ce que cela comporte : sucre, crème, confitures, etc. Pour rien au monde je ne me serais contentée d'avaler précipitamment un croissant sur le trajet du bureau, et moins encore de ces « barres petit déjeuner » aussi nourrissantes à mon sens que du papier mâché.

Ces premiers jours de suppression du sucre m'ont toutefois donné à réfléchir : comment se fait-il que dans la majorité des cultures occidentales on mange si rarement salé au petit déjeuner ? Si j'avais rapidement coupé court à ma passion naissante pour les gaufres, j'avais continué de me gaver de sucres tous les matins. En vidant mes placards, j'avais jeté pas moins de quatre boîtes de céréales chargées en glucides – dont un muesli « artisanal » hors de prix, un autre « riche en fibres » mais bourré de fruits séchés, un bon vieux paquet de Frosties de chez Kellog's et un sachet de céréales « fruits et fibres ». Le lendemain matin, après m'être péniblement extraite de sous ma couette, j'avais eu l'impression de ne plus avoir grand-chose à me mettre sous la dent. Il est vrai qu'il est plus compliqué de se préparer un vrai plat au saut du lit que de verser une préparation toute prête et pleine de sucre dans un bol.

À mon troisième jour de sevrage, j'ai écrit dans mon journal : « Petit déjeuner morne : pavé de saumon à la vapeur et haricots verts. Beurk ! Pas vraiment de quoi me booster. Vivement midi – pour la même chose. Ah non, j'oubliais : je suis MO-TI-VÉE ! »

Faites le test : mis à part le brunch occasionnel du dimanche ou un œuf au plat de temps en temps, à quand remonte votre dernier petit déjeuner salé ? Nous avons pratiquement tous tendance à commencer la journée par du sucré, et si vous pensez qu'une tartine de pain n'entre pas dans cette catégorie, détrompez-vous : de toutes les céréales, le blé est celle que l'organisme transforme le plus vite en sucres (l'orge ou l'avoine, par exemple, ont un IG plus faible). De plus, il est rare que l'on ne mette pas sur son pain de la confiture, du miel ou une pâte à tartiner. Et je mettrais ma main à couper que, sauf à ne rien avoir d'autre dans ses placards, pratiquement personne ne consomme ses flocons d'avoine sans une bonne dose de sucre, une banane ou du miel. Les flocons de maïs, même nature, ne valent pas mieux, puisque le fabricant a déjà pris soin de les sucrer – et nous n'hésitons généralement pas à les saupoudrer encore de sucre dans notre bol matinal.

Vous l'aurez compris : le petit déjeuner était mon repas principal et mon premier plaisir du jour. J'étais capable d'ingurgiter une montagne de granola ou de muesli aux fruits et un yaourt aux fruits, et souvent avec un fruit frais en prime. Si j'optais pour les flocons d'avoine, je les agrémentais invariablement d'une banane et de miel. Et pour faire descendre le tout, je buvais de copieuses quantités de jus d'orange frais – du jus fraîchement pressé, réputé « sain », et non à base de concentré. Lorsque mon agenda professionnel prévoyait un petit déjeuner de travail dans un restaurant chic – ce qui arrivait une ou deux fois par semaine –, j'en profitais pour changer un peu et commander un jus d'ananas frais.

Que de sucre, que de sucre…

Ce n'est pourtant pas une fatalité. Témoin les Suédois et les Suisses, qui attaquent la journée avec des protéines – œufs durs, fromage, saumon… ; les Japonais, qui privilégient le poisson, accompagné de soupe miso et de nouilles ; les Indiens, qui se régalent de poha, un plat salé à base de flocons de riz, cacahuètes, tomates, parfumé d'herbes aromatiques et de toute une palette d'épices ; ou encore les Indonésiens, avec leur incontournable nasi goreng – riz frit aux œufs, poulet et légumes.

Mais voilà : culturellement, nous ne sommes pas préparés à affronter un steak ou des œufs au réveil – et la simple idée d'avoir à laver des poêles et des casseroles grasses avant d'aller travailler a de quoi rebuter. Dans notre esprit, il n'y a rien de tel qu'un grand bol de sucré pour avoir des ressorts sous les pieds de bon matin. Pourtant, deux heures plus tard, nous avons déjà un petit creux, nous sommes grognons et nous avons besoin d'un petit en-cas pour tenir le coup. Je me demande d'ailleurs si c'est une coïncidence que les pays dans lesquels on commence la journée par une mégadose de sucre sont aussi ceux qui présentent la plus forte proportion de gens obèses.

Cela étant, les céréales sucrées ont leurs avantages. Combien de temps pensez-vous qu'il faut pour faire cuire à la vapeur un filet de poisson blanc ? Bien plus longtemps que pour verser des céréales dans un bol, je peux vous le dire, et au moins, les céréales n'empestent pas toute la maison.

Et puis il y a la question du coût : un paquet de muesli aux fruits de bonne qualité coûte environ 4,50 euros pour 18 portions, soi-disant (de qui se moque-t-on ? 18 portions ? on serait plus près de 6 !). Un maigre filet de poisson revient à peu près au même prix, mais pour un seul repas.

Il n'est pas facile de se préparer un petit déjeuner sain tous les jours. Cela demande des efforts et de l'organisation. Au lieu d'ouvrir le placard, il faut sortir toute une batterie de cuisine, avoir quantité d'ingrédients sous la main, et faire la vaisselle ensuite. Je n'étais pas habituée à tant de déballage avant même de quitter la maison.

Mais je savais que c'était le cap le plus difficile à passer. Maintenant que j'avais déjà annoncé à toute ma famille, à mes amis et à mes contacts Facebook que j'avais arrêté le sucre, je ne pouvais pas me permettre de craquer au bout de trois jours. J'avais tout de même ma fierté. D'autant plus que j'avais jeté tous mes produits sucrés et, même si j'en avais envie, il n'en restait plus une miette.

Revenons au sucre : qu'est-ce qu'un sucre, au juste, et comment agit-il dans notre organisme ?

Le sucre est un glucide, omniprésent ou presque. Nous ne pensons généralement pas aux pommes de terre, au pain ou aux pâtes de la même façon qu'à la confiture ou au chocolat ; pourtant, ce sont des aliments très riches en glucides. Si vous lisez les étiquettes alimentaires, vous constaterez qu'elles mentionnent plutôt la teneur en glucides qu'en sucres.

Or, il existe différents types de sucres, et tous ne sont pas égaux. Voici un échantillon des plus courants, que je fais tout pour éviter :

• Les sucres raffinés, ajoutés ou transformés : ce sont ceux que l'on achète en sachet ou en boîte et dont on saupoudre plus ou moins généreusement boissons, sauces, pâtes à pain et à gâteaux. Ce sont les plus connus. Ils sont également ajoutés à de nombreux aliments industriels et plats préparés et se cachent sous divers noms plus ou moins barbares (j'y reviendrai).

• Les sucres naturels « déguisés » : le miel, les sirops d'agave ou d'érable. Beaucoup de consommateurs sont persuadés qu'ils sont plus « sains » que le sucre en boîte, sous prétexte qu'ils sont plus « naturels ». C'est oublier qu'à l'origine, le sucre en poudre ou en morceaux, issu de la betterave ou de la canne à sucre, est lui aussi « naturel ». Or, le miel, les sirops d'agave ou d'érable et autres substituts déclenchent dans notre organisme la même réaction que le « vrai » sucre, à savoir un pic de glycémie.

• **Le fructose** : c'est le sucre naturellement présent dans les fruits (et le miel). Les fruits ont certes de grandes vertus diététiques et je n'irais pas jusqu'à dire qu'ils sont mauvais pour la santé, mais on peut trouver des vitamines et des fibres dans bien d'autres aliments, à commencer par les légumes, par exemple. L'industrie agroalimentaire ajoute également du fructose à ses produits pour leur donner du goût, mais il faut savoir que, contrairement aux autres sucres, celui-ci n'est pas régulé par l'insuline mais métabolisé directement par le foie.

• **Les glucides simples** : notre organisme utilise les glucides pour produire du glucose, source d'énergie première des cellules. Mais il y a deux sortes de glucides : les glucides complexes et les glucides simples. Les premiers sont les « bons sucres ». Ils mettent plus longtemps à se dégrader dans l'organisme et ne provoquent donc pas de forts pics d'insuline. On les trouve dans les aliments riches en fibres ou en amidon qui n'ont pas trop été transformés par des procédés de raffinage – haricots blancs et autres légumes secs, fruits à coque, riz brun. Les seconds ont une structure chimique simple – d'où leur nom – et sont très rapidement métabolisés. Ils sont moins bons pour la santé. Ils sont présents dans des produits comme le pain blanc, le riz blanc, les gâteaux, les chips, les céréales sucrées, les sodas et le chocolat. Autant d'aliments auxquels sont souvent ajoutés des sucres raffinés, ce qui double ainsi la dose !

• **L'alcool** : la plupart des alcools étant des boissons fermentées, ils sont très riches en sucre.

• **Les édulcorants artificiels** : bon nombre de produits transformés se proclamant « sans sucre » sont en réalité additionnés d'édulcorants de synthèse qui les rendent plus agréables au palais. Vous en connaissez plusieurs pour avoir vu leurs noms sur les étiquettes : aspartame saccharine, sucralose, acésulfame-K (ou acésulfame de potassium), sorbitol... Certains ont un pouvoir sucrant des centaines de fois supérieur à celui du sucre naturel. Je reviendrai plus loin sur leurs effets (voir p. 118).

Chaque fois que vous absorbez l'un ou l'autre de ces sucres, votre taux de glucose dans le sang augmente, plus ou moins rapidement selon qu'il s'agit d'un sucre simple ou complexe, en fonction de ce qui est déjà présent dans votre estomac et du type d'aliment que vous avez mangé ou bu avec le sucre. Ian Marber explique : « Supposons qu'en vous levant, vous preniez une tasse de thé ou de café sucré, ou une canette de Coca. Cette boisson ne possédant ni fibre ni graisse, qui ralentissent son absorption, l'organisme la transforme très vite en sucre, qui passe dans le sang. C'est le fameux pic de glycémie. Le pancréas libère alors de l'insuline, hormone dont le rôle est de réguler les apports de glucose. Elle agit de deux façons : d'une part, en stimulant l'ouverture des cellules qui stockeront le glucose pour fournir de l'énergie à l'organisme ; et d'autre part, en emmagasinant l'excédent dans le foie et les muscles sous forme de réserves de glycogène (autre source d'énergie). Lorsque toutes ces réserves d'énergie sont saturées, le corps conserve le reste de sucre sous forme de graisses.

L'absorption de sucre génère donc d'abord une réaction insulinique, remplit les stocks de glycogène et apporte de l'énergie. Mais, revers de la médaille, si l'on en mange trop, ses effets sont très éphémères. En effet, l'insuline absorbe les sucres aussi vite qu'elle le peut, mais n'en laisse pas pour plus tard. C'est pourquoi une heure après un repas ou un en-cas riche en sucres raffinés, la faim revient. Commence alors la spirale infernale où plus on mange, plus on a faim, sans comprendre pourquoi. »

L'humanité n'a pas attendu l'époque moderne pour manger du sucre. Des pays comme l'Inde, le Pakistan ou le Bangladesh en consomment depuis la nuit des temps sous sa forme brute (canne à sucre ou betterave). Il suscita très tôt un vif engouement en Europe et, aux XIVe et XVe siècles, la demande était telle que les producteurs se mirent en quête de nouvelles terres pour exploiter la canne à sucre. Les plantations, cultivées par des esclaves africains dans les conditions que l'on sait, commencèrent alors à fleurir dans les îles de l'Atlantique, telles Madère et les Canaries. De là, Christophe Colomb l'introduisit en 1492 dans le Nouveau Monde, en particulier aux Antilles, à Cuba et au Mexique, où le climat humide se prêtait mieux à sa culture.

L'histoire de la production et du commerce sucriers, indissociable de celle de l'esclavage, est suffisamment riche pour remplir à elle seule de nombreux ouvrages. Toujours est-il qu'à partir du moment où les Européens eurent pris goût au sucre, ils furent prêts à tout pour s'en procurer. Le sucre devint un enjeu géostratégique majeur, au cœur de l'expansion coloniale. Français et Anglais se livrèrent une guerre sans merci pour protéger leurs voies d'approvisionnement ; pour contrer le blocus anglais, Napoléon développa la culture de la betterave sucrière dans l'Hexagone. Les Britanniques, eux, ne parvinrent à l'acclimater sous leurs latitudes ingrates qu'un siècle plus tard. Dès le XVIIIe siècle, les taxes sur le sucre importé des colonies remplissaient si bien les caisses de la Couronne que l'on commença à parler d'« or blanc ». De fait, la demande s'emballait et le sucre resta en Grande-Bretagne un produit de luxe. Puis, en 1874, le Premier ministre William Ewart Gladstone abolit la taxe sur le sucre, mettant le produit à la portée de tous. L'« or blanc » cessa alors d'être l'apanage des plus riches et devint un produit de première nécessité. Peu à peu, les Européens s'entichèrent tant de sa saveur qu'ils se mirent à en ajouter dans toutes sortes d'aliments et de boissons. C'est ainsi, en quelques mots, que nos palais ont été conditionnés à consommer la « poudre blanche ».

Après la Seconde Guerre mondiale, les pays occidentaux n'ont plus connu de pénurie alimentaire ni manqué de sucre. Beaucoup d'entre nous n'ont jamais eu à se soucier de savoir d'où viendrait leur prochain repas ou été contraints d'aller au lit le ventre creux. Les fruits qui, pour la génération de nos parents ou grands-parents encore, étaient une friandise exceptionnelle, font partie intégrante de notre alimentation quotidienne. Nos papilles gustatives se sont parfaitement habituées à retrouver le goût du sucre en toutes circonstances et dans n'importe quel type de produit.

C'est peut-être pour cela que nous sommes si nombreux à en abuser – moi la première. La nourriture n'est plus une source d'apport énergétique, mais l'objet d'un véritable fétichisme. Les aliments, et plus particulièrement les friandises, sont désormais inextricablement liés à notre système de valeurs.

Ainsi, lorsque Chris avait eu une dure journée de travail, ou lorsque je voulais lui témoigner mon amour, je lui préparais mes légendaires brownies au chocolat, que je lui servais tout chauds et moelleux avec une boule de glace à la vanille. De la même façon, à la Saint-Valentin ou lorsque j'étais de mauvaise humeur (c'est-à-dire souvent), il m'offrait une grande boîte de chocolats – mes préférés, aromatisés à la rose, à la violette ou à la lavande, qu'il allait chercher chez les meilleurs confiseurs.

Que dire de la tradition du gâteau d'anniversaire ? Plus il est crémeux et sucré, plus il évoque la tendresse, la douceur. J'avoue que si, dans ma jeunesse, on m'avait fait souffler mes bougies sur un avocat en tranches artistiquement disposé sur un lit de flocons d'avoine, je n'aurais sans doute pas apprécié.

Ces exemples montrent combien les aliments, et surtout les aliments sucrés, sont pour nous chargés de sens et d'émotions. Comme le souligne James Duigan, ce système de valeurs se met en place dès notre plus jeune âge. Les sachets de confiseries que les enfants ramènent des goûters d'anniversaire pour prolonger un peu le plaisir en sont emblématiques. Quelle maman ne s'est pas ingéniée à préparer un gros gâteau enduit d'un épais glaçage pour fêter le premier anniversaire de son bébé ? Qui n'a pas eu droit à sa sucette après une piqûre chez le docteur ? Ce type de comportement nous a conditionnés à considérer le sucré comme une récompense.

S'il n'y a rien de mal à se faire plaisir une fois de temps en temps – à Noël, le jour de son anniversaire ou dans les grandes occasions –, bon nombre d'adultes cèdent aujourd'hui à l'appel du sucré tous les jours, et souvent plusieurs fois par jour. Et ce, en toute bonne conscience et avec les meilleures raisons du monde. Pour ma part, j'estimais que ma barre de chocolat de 16 heures était l'occasion de marquer une pause dans ma journée de travail, une récompense pour tout ce que j'avais accompli le matin, et une motivation pour tenir jusqu'au soir. En d'autres termes, j'estimais « mériter » cette douceur, et plus encore après un déjeuner que je croyais sincèrement « diététique » – des sushis ou une salade ! Avant un voyage en train ou en avion, je me munissais systématiquement d'un grand sachet de bonbons pour « tenir le coup ». Au sortir d'une séance de gym, je m'offrais un grand smoothie aux fruits rouges, parce que j'avais « bien travaillé »… Il est facile de tomber dans ce piège.

L'enquête INCA 2 révélait qu'en 2006-2007, les Français consommaient en moyenne 95 à 100 grammes de sucre par jour – soit 20 morceaux de sucre en 24 heures, et 140 en une semaine. C'est énorme. Bien qu'il s'agisse d'une moyenne et que certains en mangent donc moins que d'autres, cela signifie tout de même que nous dépassons allégrement les 90 grammes recommandés par l'OMS – ce qui, soit dit au passage, me paraît encore beaucoup trop en ces temps d'obésité endémique.

Ces statistiques vous surprendront sans doute autant qu'elles m'ont surprise. À supposer que vous ne buviez aucune boisson sucrée, ne mangiez qu'occasionnellement des biscuits, viennoiseries et pâtisseries et ayez par ailleurs un mode de vie relativement équilibré, vous vous dites certainement que vous êtes de ceux qui font baisser la moyenne nationale. Détrompez-vous. Vous êtes sûrement dans la norme, car le sucre étant présent dans tous les aliments transformés, y compris ceux qui n'ont pas un goût sucré, vous en mangez à votre insu. Voici, dans le désordre, tous les produits auxquels je décidai de renoncer après mon nettoyage des placards du mardi (qui, à J + 3, me paraissait déjà à des années-lumière) :

• **Miel et sirop d'agave.**
J'avoue que j'ignorais que les sucres naturels comme le miel et le sirop d'agave (qui provient d'un cactus d'Amérique latine) étaient pratiquement aussi mauvais que les sucres raffinés ou transformés. Et pourtant… De nombreuses variétés de miels,

de sirops d'agave ou d'érable et autres sucres naturels ont été transformés et restent très caloriques – en fait, avec 60 calories par cuillerée à soupe, le sirop d'agave est plus énergétique que le sucre raffiné (40 calories). Le miel ayant davantage de pouvoir sucrant, on devrait théoriquement en utiliser moins, mais puisque je m'imaginais qu'il était plus naturel et donc plus sain, je n'hésitais pas à en gorger mes yaourts, mes tisanes et bien d'autres choses. Or, non content de faire grossir, le miel entretient le goût de l'organisme pour le sucré. C'est là une évidence qui ne m'était pas encore apparue lorsque, dans les mois d'hiver, j'ensevelissais mes flocons d'avoine sous une chape de miel bio et de tranches de banane.

• **Citronnades, orangeades, sirops et boissons pétillantes**.
Je suis toujours étonnée de constater qu'en dépit de leur teneur en sucre, les jus d'agrumes aient trouvé leur place dans la liste des « cinq fruits et légumes par jour ». Ces boissons, qui étaient pour moi des concentrés de plaisir, sont surtout des concentrés de calories vides. Il me fallut me résoudre à les bannir. Alors que j'avais toujours considéré que l'eau devait nécessairement être améliorée par un sirop aromatisé, je dus admettre que la saturer de sucre n'était peut-être pas la meilleure chose à faire.

• **Coulis, sauces prêtes à l'emploi, assaisonnements de salade, conserves**.
Ces produits, hautement transformés, sont généralement assez sucrés. Méfiez-vous surtout des sauces chinoises toutes prêtes. Direct poubelle. Peu de gens savent que les bouillons en tablettes contiennent aussi souvent du sucre. Pourquoi ? Allez savoir…

• **Poissons marinés et séchés**.
À ma grande surprise, le saumon à la suédoise (généralement reconnaissable à son manteau d'aneth) est mariné dans le sucre. Encore une illusion brisée ! Sont également disqualifiés les poissons marinés au miel, ainsi que certains maquereaux et harengs séchés. Pour choisir en toute connaissance de cause, lisez attentivement les étiquettes.

• **Pâtisseries, biscuits, confiseries, chocolat et barres de muesli « santé ».**
Tous ces produits sont hautement transformés et n'ont que peu ou pas de valeur nutritionnelle. Les barres de céréales sont des loups déguisés en agneaux : flocons d'avoine, noix et fruits agglomérés par... des tonnes de sucre ! Elles peuvent certes donner un petit coup de fouet bienvenu, mais ses effets passeront très vite.

• **Chips.**
Si vous décidez d'avoir une alimentation saine, tirez définitivement un trait sur les chips (généralement grasses, riches en glucides et avec un IG élevé). Je n'en mangeais qu'une fois de temps en temps, mais la lecture des étiquettes m'a fait un choc : un minuscule paquet individuel de chips aromatisées goût chili ne contient pas moins de 2 % des besoins quotidiens en glucides. Et en plus, cette cochonnerie n'est même pas sucrée !

• **Tous les produits « maigres » ou « allégés ».**
Ah, enfin une bonne nouvelle ! James Duigan conseille de préférer le beurre à la margarine (ce que j'ai toujours fait), le hoummous normal à ses versions allégées en graisses et les yaourts entiers aux yaourts maigres. Comme beaucoup de nutritionnistes, il est convaincu qu'au lieu de vous aider à perdre du poids, les aliments allégés font grossir. Beaucoup sont en effet bourrés de sucre, de sel et d'édulcorants pour compenser la perte de saveur. De plus, comme ils sont présentés comme des produits de régime, on a tendance à en manger davantage. Mieux vaut opter pour des aliments riches en bonnes graisses – fruits à coque, graines, avocat, viande, huile, poissons et fruits de mer –, qui tiennent plus longtemps au corps, aident l'organisme à brûler les graisses stockées dans les cellules, apportent des vitamines et des minéraux et protègent les articulations. Face à de si bons arguments, je remplaçai avec un plaisir non dissimulé mes yaourts 0 % par de bons yaourts bio entiers (nature, il va de soi), et le lait écrémé (à peu près aussi insipide que de l'eau plate) par du lait entier ou, à la rigueur, demi-écrémé.

• Boissons de régime et édulcorants artificiels.

Si vous pensiez pouvoir arrêter le sucre et vous rabattre sur des produits artificiellement sucrés, je vais vous décevoir : les « faux sucres » sont tout aussi mauvais que le vrai, voire pires. De nombreux professionnels de la santé vous le diront. Les édulcorants chimiques, comme l'aspartame, font l'objet d'un vaste débat scientifique, car on les soupçonne d'augmenter les risques de cancer, bien que ce lien n'ait encore jamais été formellement prouvé. Beaucoup ont en outre un pouvoir sucrant des centaines, voire des milliers de fois supérieur à celui du sucre naturel ; ils ne font donc rien pour aider à se désaccoutumer du goût sucré. J'allais décidément faire de grosses économies sur le Coca Light et autres sodas basses calories.

• Sodas et limonades.

Nous savons tous que les sodas sont mauvais pour la santé (pour les dents, le ventre et pratiquement tout le reste), mais cela ne nous empêche pas de céder à la tentation deux ou trois fois par semaine, sans doute parce qu'ils ont bon goût et sont rafraîchissants. Je ne m'étendrai pas sur cette rubrique. Tout ce qui pétillait a fini au fond de mon évier.

• Fruits.

Je sais que je touche là à un point sensible – celui qui fait bondir ma mère quand j'essaie de lui expliquer les principes du programme hypoglucidique. Contrairement à une idée reçue, consommer trop de fruits ne fait aucun bien. Souvenons-nous qu'autrefois, un fruit en fin de repas était une fête. Cette époque frugale est révolue : le modeste dessert d'antan a laissé place aux généreuses crèmes glacées et aux somptueux fondants au chocolat, reléguant les fruits au rang de collations à espacer tout au long de la journée. Or, les fruits ayant une teneur en sucre très élevée, nous ne devrions en manger pas plus d'une fois par jour. J'ai d'ailleurs fini par comprendre que le précepte des « cinq fruits et légumes » quotidiens devrait plutôt s'entendre comme « quatre légumes et un fruit ». Jusqu'alors, j'étais tellement persuadée que les fruits étaient un en-cas sain, nourrissant et peu calorique – et donc, qu'ils m'aideraient à perdre du poids – que j'en dévorais près de cinq chaque jour, avec une prédilection toute particulière pour les plus sucrés, naturellement – raisin, banane, mangue, cerise, pomme, ananas, poire et kiwi. J'allais manifestement devoir trouver une nouvelle destination à ma coupe à fruits – ou bien la remplir d'une savante composition d'avocats et de citrons verts, parsemée, en saison, de quelques baies noires aux vertus antioxydantes (une règle simple à garder à l'esprit : plus les baies sont noires, plus elles contiennent d'antioxydants, et donc meilleures elles sont). J'imaginais mal ma vie sans ananas, mais je dus admettre que tant que je ne passerais pas mon temps libre à courir des marathons pour éliminer – c'est-à-dire jamais –, mon corps n'avait aucun besoin de tant de sucres, aussi naturels fussent-ils.

• **Fruits séchés**.
J'aurais dû m'en douter : encore un piège à sucre. L'un de mes préférés était la mangue séchée. Je me régalais de ces lamelles caoutchouteuses qui laissaient une pointe d'acidité sur la langue, mais voilà : avec 100 g de mangue séchée – ce qui va vite, car le fruit pèse très lourd –, je n'absorbais pas moins de 73 g de sucre pur. Raisins secs, dates et figues ne sont pas beaucoup plus recommandables, avec respectivement, 65, 64 et 62 g de sucre pour 100 g. Et moi qui m'évertuais à résister à la plaquette de chocolat, pensant que ces fruits étaient ce qui me réussirait le mieux... À ce train-là, il n'allait plus me rester grand-chose pour calmer mes petites fringales.

• **Jus de fruits**.
Avec un verre normal de jus d'orange (33 cl), vous avalez 30 g de sucre – l'équivalent de 6 morceaux ! Presque autant qu'avec un Coca. Le jus d'orange contient certes des vitamines et des minéraux, mais rien que l'on ne puisse trouver dans d'autres aliments moins riches en sucres. Une bouteille de 25 cl de smoothie aux fruits Innocent® (fabriqué, comme par hasard, par une filiale de Coca-Cola) vous apporte en moyenne 25 g de sucre (soit 5 morceaux). Si ces fabricants balaient les critiques d'un revers de main en assurant que leurs boissons ne contiennent que

des sucres naturels issus des fruits, il faut savoir qu'un excès de fructose déclenche exactement les mêmes réactions que n'importe quel autre type de sucre dans l'organisme. Je dus donc dire adieu à mes chers jus de fruits et smoothies. Ma silhouette m'en remercierait, même si pour l'heure, mon cerveau désespérément en manque était loin de m'être reconnaissant.

• **Pains et pâtes**.
Si les Britanniques sont de grands amateurs de pain, ils restent cependant loin derrière les Français qui, avec 10 milliards de baguettes vendues chaque année, consomment en moyenne 130 g de pain par jour chacun (l'équivalent d'une demi-baguette), soit 47 kg par an. Je n'en étais pas là, mais le pain était ma madeleine de Proust : j'étais incapable de résister aux sandwichs au pain de mie découpés en triangles, tels que m'en préparait maman pour mon panier-déjeuner ; dans mes moments de cafard, je me refaisais avec délectation ces énormes tartines de mon enfance – si épaisses qu'il fallait les griller dans le four plutôt qu'au grille-pain – généreusement enduites de beurre. Il m'a pourtant fallu y renoncer : le pain contient en moyenne 55 % de glucides (amidon) et possède un IG très élevé. Les variétés industrielles, à commencer par le pain de mie, sont souvent enrichies en graisses et en sucres, pour « améliorer » leur goût. Si certains pains bis et complets sont moins sucrés, une simple tranche apporte déjà 1,8 g de sucre. Ce n'est jamais que 2 % des apports journaliers recommandés (AJR), mais pour peu qu'entre le petit déjeuner et le déjeuner on en consomme 4 tranches, ce sont déjà 8 % de ces apports qui sont couverts. Même lorsqu'elle ne contient pas de sucres ajoutés, la pâte est à base de farine de blé hautement transformée – le blé étant un glucide à IG très élevé qui, une fois ingéré, se transforme en sucre plus vite que toute autre céréale. Par les processus biochimiques que nous avons décrits, l'organisme transforme ce sucre en graisse, qui vient généralement s'accumuler sur les hanches, les cuisses, les fesses et le ventre. Ce qui vient nous rappeler que tout ce qui n'a pas un goût sucré évident n'est pas forcément « sans sucre ».

• Pommes de terre.

Ce féculent à IG élevé est 3 à 5 fois plus riche en glucides que la plupart des légumes frais (à raison de 90 % d'amidon et de petites quantités de glucose, fructose et saccharose). Mieux vaut remplacer vos charlottes, amandines et belles de Fontenay par la patate douce – ce qui ne m'a pas été très difficile, car, en dépit de mes origines irlandaises, je n'ai jamais adoré les pommes de terre.

• Alcool.

J'ai gardé le plus dur pour la fin : l'alcool n'a, hélas, pas sa place dans une alimentation hypoglucidique. J'étais bien consciente que mon faible pour les mojitos et autres cocktails ne me faisait pas le plus grand bien, mais j'étais loin d'imaginer qu'il y avait tant de sucre dans mon verre. C'était pourtant évident, puisque toutes les boissons alcoolisées sont produites par fermentation de matières premières riches en amidon ou en sucres naturels (céréales ou raisins). Ces sucres en font des produits extrêmement caloriques sans valeur nutritionnelle. L'alcool a pourtant toujours été à mes yeux une composante forte des relations sociales. Mes meilleurs souvenirs étaient nés autour d'un ou deux verres entre amis. Les folles nuits entre copines sur les plages d'Hawaii à partager quelques bouteilles de Bikini Blonde, la bière locale ; la tournée des bars karaoké de Tokyo, arrosée au saké ; les soirées passées à boire des whisky sours et à chanter en chœur sur le juke-box d'un petit bar de Nantucket ; les bonnes bouteilles de vin du *Coach and Horses*, célèbre pub de Farringdon, que nous descendions en écoutant les récits des collègues rentrés de reportage dans des pays lointains et dangereux… Mais ce serait sans doute le verre de vin devant la télé après une longue journée qui me manquerait le plus… L'idée même de supprimer l'alcool suffisait à me déprimer. Si je ne buvais qu'une douzaine de verres par semaine, j'y tenais énormément. Pour la trentenaire célibataire que j'étais, l'alcool était un moyen de maintenir le lien social. À quelles occasions verrais-je mes amis si je n'allais plus boire un coup avec eux de temps en temps ? En serais-je réduite à les retrouver autour d'un café à midi ? Mais le soir ?… La perspective était plutôt sinistre…

La liste des sucres à proscrire ne s'arrêtait pas là. Cela étant, sauf à me laisser dépérir, je ne pourrais jamais prétendre éliminer totalement le sucre. Si je parle par commodité d'une alimentation « sans sucre », il est en fait plus exact de la qualifier d'« hypoglucidique ». Je conserverais en effet le lait, les laitages, les légumes et la viande, qui tous contiennent des glucides en quantités variables. Je traquerais en revanche impitoyablement tous les sucres qui ne sont pas forcément identifiables au premier coup d'œil sur les étiquettes alimentaires : maltose, lactose, dextrose, fructose... Tous ceux qui, comme le résume Ian Marber, « se cachent derrière des noms se terminant en "- ose" ».

Tous les sirops – de riz brun, de malt, de glucose, de canne (mélasse) – sont également des sucres. Le plus nocif est le sirop de maïs à haute teneur en glucose, plus connu sous le nom d'isoglucose ou sirop de glucose-fructose (SGF). Pointé du doigt par une grande part de la communauté médicale, le SGF est un sirop de maïs qui a été enrichi en fructose par procédé industriel, puis mélangé à du sirop de maïs pur (100 % glucose). Bon marché, il est utilisé comme édulcorant dans toute une gamme de produits alimentaires et de boissons (jus de fruits, sodas, confiseries, confitures et conserves de fruits, produits laitiers, condiments, assaisonnements industriels, conserves, plats préparés, viennoiseries et pâtisseries). Il est rapidement absorbé par le foie, qui le transforme tout aussitôt en graisses. Plus grave, comme il s'agit d'un composant artificiel, il n'est pas reconnu comme un sucre par l'organisme, de sorte que les régions du cerveau censées réguler la sensation de faim ne déclenchent jamais le signal de satiété. De ce fait, plus le corps en absorbe, plus il en réclame. Le taux de glucose sanguin augmente alors brutalement, provoquant une sécrétion massive d'insuline pour le métaboliser. Ce phénomène crée une hypoglycémie réactionnelle, et la faim revient. Le cercle vicieux est enclenché.

Ma feuille de route commençait à prendre forme et je devrais la respecter le plus sérieusement possible pendant les deux premières semaines. Je gardais cependant à l'esprit la mise en garde de James Duigan : il m'arriverait de faire un petit écart de temps à autre. Bien que j'aie la chance d'être armée d'une volonté de fer, je savais que le plus dur serait de me priver entièrement d'alcool. Je prévoyais déjà de transiger sur ce principe : lorsque je rejoindrais mes amis au pub, je pourrais toujours me rabattre sur un cocktail à faible teneur en sucres (une vodka allongée d'eau gazeuse et d'un filet de jus de citron vert, par exemple). Et, quand l'occasion s'en présenterait, je ne me refuserais pas un verre de bon vin rouge. Mais à supposer que je passe le cap des quinze premiers jours, il était évident qu'il me faudrait faire le deuil de mes vacances passées à boire des bières sur la plage chaque après-midi. Deux demis de bière blonde fournissent en effet autant de calories qu'une part de pizza, mais ce sont des calories vides. Entre une bière tous les soirs et un ventre plat, j'avais fait mon choix. Étrangement, je me pris soudain à regretter de ne jamais être allée à l'Oktoberfest de Munich – idée qui, jusqu'alors, ne m'avait pas effleurée un instant. Les divagations de l'esprit sont décidément bien imprévisibles lorsque l'on est en état de manque…

À propos de pizza, le moment est venu de parler de mon visage. Au troisième jour de sevrage, il s'était couvert d'une infinité de boutons rouges et douloureux qui semblaient bien décidés à s'incruster pour me gâcher la vie – comme si ce n'était pas déjà assez dur comme ça !

Depuis quelques années, j'étais sujette aux poussées d'acné, et c'était d'ailleurs l'une des raisons pour lesquelles j'avais choisi d'arrêter le sucre. Si je n'étais dans l'ensemble pas particulièrement complexée par mon apparence, ces éruptions me minaient le moral. J'avais souvent le menton irrité, de vilains boutons sur les pommettes, et le reste du visage congestionné. J'avais l'impression d'avoir le teint terne. Je m'étais efforcée de modifier un peu mon alimentation, mais sans trop de conviction : j'arrêtais par exemple le chocolat pendant quelques semaines et, ne constatant aucune amélioration, je perdais ma motivation et courais me racheter une plaquette. Au lieu de m'attaquer à la racine du mal – à savoir, l'excès de sucre –, je me ruinais en crèmes et en peelings cosmétiques. J'avais également remarqué l'apparition de taches brunes sur les joues et le front, et je comptais sur mon esthéticienne pour les gommer – et résorber dans la foulée mes pattes-d'oie naissantes et les petites rides qui commençaient à creuser mon front.

Mon travail stressant pouvait en partie expliquer que j'aie si mauvaise mine, mais, comme le rappelle Mica Engels, dermatologue à la clinique Waterhouse Young, une alimentation trop riche en sucres est l'un des principaux facteurs de vieillissement prématuré de la peau : « Une consommation de sucre excessive nuit à l'éclat du visage pour plusieurs raisons : l'élévation du taux de glucose sanguin incite le pancréas à produire plus d'insuline. Cela se traduit par une « inflammation » des cellules, dont on pense aujourd'hui qu'elle accélère le vieillissement de la peau.

En termes scientifiques, on appelle ce mécanisme la "glycation" : le glucose excédentaire se fixe sur les fibres de collagène et d'élastine, des "protéines de jeunesse" qui forment une sorte de matelas pour le derme et préservent la souplesse et la tonicité de la peau. À la longue, il se produit une sorte de "caramélisation" de ces fibres, qui finissent par se rigidifier et se briser. Elles cessent alors de soutenir le derme et d'exercer leurs fonctions essentielles, à savoir la division cellulaire et le renouvellement des tissus. Ainsi, la peau du visage s'affaisse et se creuse de rides. Avec le temps, ce processus irréversible ne fait que s'amplifier. Les produits issus de la glycation (ou "protéines glyquées"), responsables du vieillissement prématuré, s'accumulent ensuite dans l'organisme, donnant à la peau un aspect terne et flétri. »

Que valait-il mieux ? Une peau terne et flétrie, ou le teint rougeaud d'adolescente boutonneuse qu'avait provoqué ma détox ? Cruel dilemme. Pour l'heure, je fourrai ma crème correctrice dans mon sac et filai au bureau, espérant que ces désagréments ne dureraient pas trop longtemps.

Le troisième jour, comme le précédent, se passa dans un brouillard. Je mangeai à ma faim – j'avais prévu une collation de galettes d'avoine et d'avocat, ainsi qu'une poignée d'amandes pour combler mon petit creux de 16 heures. Au déjeuner, je repris une salade – de dinde cette fois-ci, agrémentée d'épinards, de betterave et d'autres petites choses, et arrosée d'un filet d'huile d'olive. En soi, rien de tout cela ne me déplaisait, mais il manquait tout de même à mon bonheur un soda ou un smoothie ! Toute la journée, je regardai tourner l'horloge et, sur le coup de 19 h 30, je n'avais qu'une envie :

me coucher. J'avais un terrible mal de tête et l'impression qu'elle était gonflée à l'hélium. Je rentrai à nouveau en taxi (ces bonnes résolutions commençaient à me revenir cher !). Le soir, après avoir dîné d'un gâteau d'épinards, m'être démaquillée et tartinée le visage de crème contre l'acné (avantage du célibat...), je me glissai sous la couette. Mais l'insomnie me guettait à nouveau. Cette histoire devenait absurde. Je dus mettre trois bonnes heures à sombrer dans un sommeil hanté de rêves bizarres où d'énormes homards m'agitaient leurs pinces sous le nez. Je me réveillai à 5 heures du matin, moite et épuisée, et je fondis bêtement en larmes.

Il n'y a rien de tel que de se retrouver toute seule en pleine nuit assise sur son lit en larmes alors que le monde entier dort à poings fermés pour se rappeler à sa solitude. À cet instant, une boule d'angoisse me saisit à la gorge : pourquoi m'imposais-je cette épreuve ? Pour maigrir ? Rayonner de santé ? Et après ? Personne n'est éternel de toute façon, et je n'avais aucune envie de perdre ma joie de vivre pour quelques kilos et trois fichus boutons sur le nez. Il devait bien y avoir un juste équilibre entre plaisir et vertu. Ces derniers jours, quand j'avais annoncé à mes amies que je ne mangeais plus de ceci ou de cela, plusieurs avaient levé les yeux au ciel en soupirant, l'air de dire : « Allons, la vie est trop courte. » Je commençais à me demander si tous ces sacrifices en valaient vraiment la peine.

Il ne m'échappait pas que ce coup de blues était en partie un effet de la détox. Mon corps était en train de subir de profondes transformations chimiques, physiques et psychologiques, et il était normal que je me sente un peu déstabilisée et bizarre. Mais je ne pouvais m'empêcher de me demander pourquoi je m'infligeais tout cela : j'étais certes un peu ronde, mais encore dans la normale, et ma corpulence ne m'avait jamais complexée ; dans l'ensemble, mon mode de vie ne me déplaisait pas, et j'aimais bien celle que j'étais. Alors pourquoi bouleverser cet équilibre ? À quoi bon chambouler ma vie sociale et me couper de mes amis ? Même à supposer que j'arrive à me sculpter un corps de rêve, comment pourrais-je retrouver un amoureux si je ne sortais jamais dîner en ville ou boire un verre ? Et surtout, combien de temps durerait encore ce calvaire ?

J'étais tellement déprimée et mal fichue que, contre tous mes principes, je décidai de prendre ma journée. Avec le recul, je sais qu'en ce quatrième jour, j'avais touché le fond. Les recherches que j'ai menées par la suite m'ont également appris que cette sensation de mal-être est une réaction psychologique normale lorsque l'on renonce à quelque chose. Dans ce genre de grand moment de transition, le cerveau amplifie et dramatise les sentiments de doute pour mettre notre volonté à l'épreuve (je reparlerai de ce phénomène au chapitre 8).

Que ce soit l'effet du sevrage, le manque de sommeil ou une alliance des deux, je me sentais incroyablement faible. J'avais mal au ventre et je restai toute la journée affalée sur mon canapé à regarder le tournoi de Wimbledon, incapable de me concentrer sur quoi que ce soit. L'après-midi, en allant faire un tour dans les boutiques du quartier, je traversai sans regarder et faillis me faire écraser à deux reprises. Croisant une dame qui sirotait un Coca, je la fixai avec insistance et, à la voir se régaler du nectar noir et pétillant, je fus à deux doigts de lui quémander une gorgée.

Ne sachant plus à quel saint me vouer, je rentrai chez moi pour chercher réconfort sur les forums en ligne. La plupart des internautes qui avaient renoncé au sucre conseillaient de boire beaucoup d'eau pour éliminer les toxines. Je vidais déjà mon litre et demi par jour, mais apparemment, ce n'était pas assez : en phase détox, il fallait aller au moins jusqu'à deux litres et demi. Bon, ça, c'était dans mes cordes. D'autres suggéraient de faire un peu d'exercice doux – une petite marche, par exemple. Je ne me sentais plus seule. Revigorée, je décidai de me préparer un bon petit plat et de faire mes courses en ligne afin de regarnir mes placards de produits de qualité.

À mon sens, un régime sain ne se mesure pas à ce que l'on ne mange pas, mais à ce que l'on mange. Il ne sert à rien de limiter les aliments sucrés si c'est pour en arroser d'autres de miel ou de sirop ou, pire encore, de prendre des versions sans sucre pour les saupoudrer d'édulcorants artificiels.

Ce qu'il me fallait, c'était des produits nutritifs et sains. Je commençai donc à remplir mon panier : des fruits à coque (noix, noisettes, amandes, cajous…) ; de la cannelle, des graines, des yaourts entiers bios, des œufs, du hoummous, des légumineuses, un gros paquet de saumon bio fumé au bois de chêne, du maquereau et des céréales.

Je décidai que lorsque je me ferai la cuisine, j'essaierai d'organiser mes menus exclusivement autour de produits laitiers, de viande et de poisson bio. Ces produits coûtent certes beaucoup plus cher, mais je préférais manger moins de viande, mais une viande plus goûteuse, plus saine, produite sans tout un arsenal d'antibiotiques. Puis, je complétai mon panier de légumes verts, d'eau gazeuse, d'huiles d'olive premier choix pour les salades et de purée d'amandes. Des avocats. De l'huile de coco pour la cuisson et de la noix de coco déshydratée pour ma nouvelle recette phare : les pancakes protéinés (voir p. 140). Des patates douces, un paquet de spaghettis d'épeautre pour les jours où j'aurais besoin d'un plat diététique, vite préparé et roboratif. Dans la foulée, je reconstituai aussi mon stock d'épices, car maintenant que j'avais banni les sauces préparées, il me faudrait découvrir de nouvelles saveurs. Tout compte fait, beaucoup de choses étaient permises, et beaucoup étaient vraiment bonnes, ce qui me remonta le moral, mais j'en tirai trois grandes conclusions :

• Ma nouvelle vie et mes habitudes alimentaires saines allaient me coûter cher.
• J'allais devoir apprendre à mieux cuisiner, et vite.
• La plupart des plats maison ne contiennent de toute façon pas de sucre.

Ce soir-là, je pris un bain aux huiles essentielles relaxantes et me mis au lit vers 22 heures. Pas folichon pour un vendredi soir…

À J + 5, après une nuit à moitié blanche (entrecoupée de deux passages aux toilettes – quelle idée, aussi, de boire autant d'eau !), mon mal de tête semblait commencer à se dissiper. Je n'étais pas pour autant dans une forme olympique. Je passai le samedi matin vautrée dans mon canapé et, l'après-midi, je trouvai enfin un peu d'énergie pour aller au cinéma avec mon amie Katy. Erreur fatale. L'odeur de pop-corn vint aussitôt me chatouiller les narines et, pendant tout le film, je salivai en sentant les effluves de la glace au caramel de mon voisin. En rentrant, d'humeur bougonne, je me fis un thé à la cannelle et à la cardamome, en espérant que cette « gourmandise » ferait passer mes envies de sucre.

Cette sortie au cinéma m'avait appris quelque chose : l'abstinence est bien plus dure à supporter face à la tentation. Mieux valait ne pas trop m'exposer à tout ce que mes papilles réclamaient à cor et à cri tant que je ne me serais pas blindée mentalement. Durant cette phase d'attaque, je n'étais pas certaine de ne pas craquer si quelqu'un m'offrait, par exemple, un KitKat ou un verre de sancerre. Ou bien un KitKat et un verre de sancerre.

Le dimanche venu, ma migraine s'était envolée. Je ne m'étais réveillée qu'une fois pendant la nuit, mais, bien décidée à ne pas ruminer mes frustrations et ma colère, je m'étais tout de suite rendormie. La journée se déroula plutôt bien : après ma séance de yoga doux, je reçus ma grosse commande du supermarché. Mes placards enfin bien remplis, je me mitonnai une salade de bœuf asiatique accompagnée d'une généreuse portion de germes de soja et de légumes émincés.

Quand j'arrivai au bureau le lundi matin, plutôt d'attaque en dépit d'un léger mal de crâne qui irradiait derrière les yeux, je découvris sur ma table une jolie boîte de gâteaux venant de l'un des plus grands pâtissiers londoniens. Cela n'avait rien d'exceptionnel : dans le milieu de la presse féminine, les journalistes des services mode, santé ou beauté reçoivent tous les jours ou presque d'énormes boîtes de gâteaux, biscuits, chocolats ou beignets. Paradoxalement, les attachées de presse à l'origine de ces charmantes attentions semblent croire que les femmes les plus obsédées de la planète par les questions de poids et de silhouette apprécieront ce genre de cadeaux. Habituellement, j'étais la première à me jeter sur ces douceurs, que j'appelais des « trompe-régime » et dont je ne perdais pas une miette. Mais ce jour-là, résistant bravement à la tentation, je m'empressai de déposer le paquet sur le bureau le plus éloigné du mien. C'était une stratégie éprouvée : dans un bureau partagé par une trentaine de gourmandes, il fallait être rapide si on voulait sa part.

Dans l'ensemble, mes collègues me soutenaient et m'encourageaient à tenir bon, mais elles ne comprenaient pas toutes mes nouvelles habitudes alimentaires. (Je veillais à ne surtout pas prononcer le mot « régime », puisque dans mon esprit il s'agissait d'un changement de mode de vie radical, pour ma silhouette, mais aussi et surtout pour ma santé.) Sur le coup de 16 heures, quand elles remontaient de la machine à café avec une barre de chocolat, elles me proposaient gentiment de partager : « Allez, juste une bouchée... » Était-ce pour elles une façon de déculpabiliser ? Avec mon simple thé à la menthe, je faisais figure d'extraterrestre – ou de crâneuse. En passant mon tour lorsque l'on faisait circuler des biscuits ou des confiseries, j'avais l'impression d'être jugée.

Or, je suis ainsi faite que j'ai toujours envie de plaire à tout le monde. Lorsque je suis seule, j'ai une volonté de fer. Mais en société, j'ai la faiblesse de céder au moindre regard réprobateur – ne serait-ce que pour maintenir la paix. Si la pression de mon entourage devenait trop forte, je finirais par craquer. J'expliquai donc à mes collègues pourquoi j'avais décidé de supprimer le sucre, et je leur demandai solennellement de m'aider à rester sur le droit et étroit chemin de la santé. Aussitôt, Olivia descendit chercher un mélange de fruits à coque et en offrit à tout le monde. Chère Olivia ! J'en aurais pleuré de joie.

Dans les environnements professionnels entièrement féminins, la question de l'alimentation suscite toujours un certain esprit de compétition. Contrairement à ce que je pensais, ce phénomène ne se limite pas aux salles de rédaction. Ma mère et ma sœur travaillent toutes deux dans l'Administration et, quand je leur demandai si l'on parlait aussi de « qui mange quoi » autour de leur photocopieuse, j'eus l'impression de poser une question idiote : « Mais bien sûr ! s'exclama Natalie. Dans chaque bureau, il s'en trouve toujours une pour apporter son gâteau maison. Tu as déjà essayé de refuser une part ? C'est une sacrée pression. »

Le mardi, j'avais bouclé ma première semaine de sevrage. Je commençais à me sentir mieux. J'avais réglé le problème du grignotage : chaque jour, je me préparais des bâtons de crudités à tremper dans un petit pot de hoummous. Au début, le céleri cru avait un peu de mal à passer, mais le jeu en valait la chandelle. Puis, mon amie Kate m'a imitée. À deux, le snack de 10 heures devenait presque amusant. Je me rendis compte qu'il était essentiel d'avoir toujours un petit paquet de galettes d'avoine sous la main en cas de fringale subite. L'avocat, devenu mon goûter de prédilection, prit dans ma vie une importance que je ne lui aurais jamais soupçonnée. Et le café du matin, que j'achetais invariablement dans une boutique bio de luxe sur le chemin du bureau, était le petit extra qui devait me permettre de tenir jusqu'à l'heure du déjeuner.

J'avais enfin retrouvé le sommeil paisible et réparateur dont j'étais privée depuis quelques années. Dès lors, tout me parut plus supportable. Je parvins même à rassembler suffisamment d'énergie pour rapporter à la maison mon vélo, abandonné au fond d'un parking depuis une semaine. Le trajet me prit toutefois dix minutes de plus que d'habitude.

Une fois franchi le cap fatidique des huit jours, les journées passèrent plus facilement. Prenant mon courage à deux mains, je retournai acheter mon journal chez le marchand du coin, que j'avais scrupuleusement évité à cause de son somptueux étalage de confiseries. Mes boutons commençaient à disparaître et, le vendredi suivant, une collègue me fit remarquer que le blanc de mes yeux était plus éclatant. C'était certes un drôle de compliment (était-il donc jaune avant ?), mais j'attendais avec impatience un signe indiquant que mon nouveau régime produisait ses effets. Une semaine plus tard, un collaborateur me trouva un regard pétillant. À moins qu'ils ne se soient tous deux donné le mot, il devenait évident que les changements qui s'opéraient dans mon organisme se reflétaient en premier lieu dans mes prunelles.

J'avais lu dans plusieurs ouvrages et sur des forums que la plupart de ceux qui s'étaient sevrés du sucre commençaient à se sentir bien au bout de trois jours et rayonnaient d'énergie à partir du cinquième jour. À J + 11, si j'étais un peu mieux dans mon assiette, j'étais encore loin d'être en pleine forme. Pourquoi ce sevrage m'avait-il mis à plat pendant si longtemps ? Je posai la question à Ian Marber. « En général, on est mal fichu pendant environ trois jours. Dans ton cas, si tu as mis plus de temps à te remettre, c'est peut-être parce que tu faisais un peu de résistance à l'insuline », m'expliqua-t-il.

Voilà qui était intéressant. En 2013, j'avais découvert que j'étais atteinte du syndrome des ovaires polykystiques (SOPK), ou syndrome de Stein-Leventhal. Ce trouble hormonal se traduit par la présence de nombreux follicules (ou kystes) dans les ovaires. Comme moi, la moitié des femmes affectées n'ont aucun symptôme et le syndrome n'est diagnostiqué qu'à la faveur d'une échographie pelvienne. Cette maladie est liée au phénomène de résistance à l'insuline, ou insulinorésistance. Comme nous l'avons vu, l'insuline est une hormone sécrétée par le pancréas pour réguler le taux de glucose sanguin. Elle permet au glucose de pénétrer dans les cellules pour être métabolisé en énergie. Lorsqu'il fait une résistance à l'insuline (mesurée selon une échelle graduée), l'organisme réagit moins rapidement à cette hormone, et le pancréas en produit davantage pour tenter de normaliser la quantité de sucre dans le sang. À la longue, les cellules ne répondent plus à l'insuline, le pancréas s'épuise et le glucose s'accumule dans le sang, ce qui mène peu à peu au diabète. Certaines données scientifiques indiquent qu'avec l'âge, le SPOK est associé à un risque plus élevé de diabète de type 2. Comme je n'avais à l'époque fait aucune analyse, j'ignore jusqu'à quel point j'étais insulinorésistante lorsque j'avais une alimentation riche en sucres. La liste de contrôle suivante m'a aidée à faire le point. Si vous constatez que, comme moi, vous souffrez d'un ou plusieurs des symptômes indiqués ci-après, peut-être aurez-vous intérêt à faire un test de dépistage.

Indicateurs de la résistance à l'insuline :

- **Esprit embrumé** – oui.
- **Hyperglycémie** – non vérifié, faute d'analyse.
- **Ballonnements** – oui.
- **Somnolence, surtout après les repas** – pas tant après les repas, mais en règle générale, j'avais besoin de beaucoup de sommeil.
- **Prise de poids, stockage des graisses, difficulté à perdre du poids** – oui, oui et oui.
- **Augmentation du taux de triglycérides** (lipides dans le sang) – non vérifié.

- **Augmentation de la tension artérielle** – oui, j'ai toujours été légèrement hypertendue.
- **Cholestérol élevé** – non.
- **Augmentation du taux de cytokines pro-inflammatoires dans le sang** (protéines responsables d'inflammations cellulaires) – non vérifié.
- **Dépression** – si j'étais parfois une peu abattue, je ne parlerais pas de dépression. Donc, non.
- **Taches brunes sous les aisselles, sur la nuque ou dans les replis de la peau** – non.
- **Sensation permanente de faim** – ça, oui !

Au cours des jours suivants, je remarquai d'autres changements. Curieusement, mon odorat s'était affiné. Alors que je n'avais jamais aimé les boissons énergisantes comme le Red Bull, les émanations doucereuses de la canette que sirotait mon voisin dans le métro me donnèrent la nausée. Je percevais les délicieux effluves des muffins au chocolat qui doraient dans les fours de la boulangerie du supermarché à des dizaines de mètres de distance. Je trouvais au Coca Light un parfum étrangement métallique… Toutes les odeurs me paraissaient plus intenses que jamais.

Je reçus mon premier compliment sur ma peau au bout d'une quinzaine de jours. Lors d'un petit déjeuner de travail, une relation professionnelle me félicita pour ma « mine radieuse ». J'étais moins engoncée dans mes vêtements – détail qui n'avait pas échappé à quelques copines du bureau – et j'avais le ventre plus plat, sans doute parce que, grâce à mon alimentation riche en légumes et en fibres, je digérais mieux qu'avant.

Cela étant, j'avoue que je n'étais pas toujours à prendre avec des pincettes. Depuis le début de mon sevrage, j'enrageais de ne plus pouvoir manger tout ce que je voulais. Si certaines femmes peuvent dévorer un hamburger à midi et du chocolat à gogo à 16 heures et toujours rentrer dans un 38, ce n'était pas mon cas et ce ne le serait jamais. Je devais m'y résigner, mais à vrai dire, cette injustice me restait en travers de la gorge. Pourtant, vers le début de la troisième semaine, ma frustration s'apaisa et je devins moins grognon. La sagesse populaire prétend qu'il faut vingt et un jours pour se débarrasser d'une habitude bien ancrée et en adopter de nouvelles. Pour moi, cela semblait se vérifier. J'en voulais toujours à la terre entière de ne pas avoir la même constitution que mes amies qui pouvaient se gaver de chocolat sans prendre un gramme, mais dans l'ensemble, j'étais moins stressée. J'avais hérité du caractère impétueux de mon Irlandais de père, mais je me sentais maintenant plus sereine, plus détendue. Un mois plus tôt, un auteur qui rendait son papier en retard ou faisait le mort derrière son téléphone me plongeait dans une colère noire. Désormais, j'attachais moins d'importance à ces contretemps, ou du moins pas assez pour me mettre dans tous mes états.

Mon humeur en dents de scie semblait soudain s'être stabilisée. Mon énergie revenait peu à peu : je n'avais plus ces coups de pompe en milieu de matinée ou d'après-midi, qui « justifiaient » deux ou trois biscuits. Je me sentais libérée. Sur le moment, ce n'était qu'un simple constat, que j'aurais été bien en mal d'expliquer.

Se pouvait-il qu'il y ait un lien quelconque entre le stress et le sucre ? Comme nous ne le savons que trop bien, il n'y a rien de tel qu'un paquet de bonbons ou une tablette de chocolat pour se calmer dans les moments difficiles. Des études statistiques ont récemment établi que dans les pays occidentaux, la consommation de sucre raffiné a triplé au cours des cinquante dernières années, à mesure que le rythme de vie devenait plus stressant. Selon la Fondation internationale du cacao, les Français ne consomment pas moins de 7 kg de chocolat par an et par habitant – à quoi s'ajoutent toutes les autres sucreries et les sucres cachés dans les aliments transformés. Or, des études scientifiques ont démontré que si les sucreries produisent un effet apaisant à très court terme, elles sont loin d'être l'antidote au stress vanté à longueur de publicités : la chute rapide du glucose sanguin favorise au contraire la nervosité, l'anxiété et l'irritabilité. Je comprenais mieux pourquoi mon humeur jouait au yo-yo depuis que j'avais arrêté.

Selon Deborah Colson, médecin nutritionniste à l'ONG britannique Food for the Brain (qui réunit des médecins, des chercheurs, des diététiciens, des psychiatres et des psychologues, et dont l'objectif est de sensibiliser le public aux effets de l'alimentation sur la santé mentale), les changements comportementaux seraient étroitement liés au taux de sucre dans le sang : « Il existe une corrélation directe entre l'humeur et l'équilibre glycémique. D'après nos observations, un mauvais équilibre glycémique est souvent le principal facteur de risque chez les individus sujets aux sautes d'humeur, à la dépression, à l'anxiété et à l'hypersensibilité émotive – qui pousse certains à fondre en larmes sans raison apparente. Les hausses et les baisses soudaines et importantes des taux de sucre dans le sang atténuent la capacité à gérer le stress.

Outre les nombreux facteurs qui, au quotidien, contribuent au stress et aux sautes d'humeur (l'éclatement de la structure familiale, par exemple), l'alimentation joue un rôle déterminant. Les aliments riches en nutriments – vitamines B, zinc, magnésium, chrome, acides gras essentiels – sont indispensables pour entretenir une bonne santé psychique et mentale. *A contrario*, une alimentation trop riche en sucre inhibe les mécanismes naturels de gestion du stress. »

Comme je l'ai déjà dit, mon métier de journaliste est extrêmement prenant. Après de longues journées passées à résoudre toutes sortes de problèmes au bureau, je dois encore entamer mon « deuxième plein-temps » : faire le ménage, les courses, aller chercher le linge au pressing, etc. et, entre les deux, caser quelques sorties entre amis. En repensant à cette cavalcade permanente, je me suis rendu compte que pour tenir ce rythme, je devais produire des quantités faramineuses d'adrénaline et de cortisone, les fameuses « hormones du stress » que l'organisme libère en réponse au stress physique ou psychologique. Or, non seulement ces hormones favorisent l'accumulation de tissus adipeux autour de la taille et sur le ventre, mais dans les situations de stress chronique, leur sécrétion prolongée déclenche un besoin irrépressible de sucre dans l'organisme – et l'excès de sucre étant générateur de stress, c'est alors un cercle vicieux qui s'installe.

Le simple fait de comprendre ces mécanismes biochimiques avait quelque chose de tout à la fois terrifiant et rassurant : d'un côté, je pris conscience de ce qu'était véritablement le sucre – un démon déguisé en ange – et, d'un autre, je m'expliquais mieux l'intensité de mes réactions lors des deux premières semaines de sevrage. Forte de ces enseignements, j'étais fermement déterminée à ne plus jamais retomber dans le piège du sucre.

Je n'en passais pas moins par des moments de doute, et je fus à plusieurs reprises à deux doigts de raccrocher. Moins de quinze jours après le début de ma cure de désintoxication, j'accompagnai mon père aux demi-finales du double dames du tournoi de Wimbledon. Les matchs commençaient vers midi et nous nous retrouvâmes devant le restaurant de l'All-England Club. D'un simple coup d'œil à la carte, je constatai qu'il n'y avait pratiquement rien qui convenait à mon nouveau régime. Des fraises à la crème ? pas question. Du champagne ? non, merci. Je regrettai soudain de ne pas avoir accepté le pique-nique que maman s'était proposé de nous préparer. En désespoir de cause, je me rabattis sur un hot dog de luxe qui me délesta de 10 livres et dont je laissai consciencieusement le pain pour ne manger que la saucisse. En fait de repas, ce n'était pas ce qu'il y avait de plus nourrissant. Mon père ne reconnaissait pas sa fille.

Le week-end suivant, je pris la route de Henley pour aller voir mon amie Aspen qui s'était installée à la campagne avec son compagnon, leur fille et leur chien. Je restai bloquée deux heures dans les embouteillages et le voyant de la jauge à essence clignotait de façon inquiétante. Le temps de trouver une station, j'avais déjà une heure et demie de retard pour le déjeuner. Mon estomac criait famine et je me sentais prête à défaillir. Je devais grignoter quelque chose, et vite. Mais une fois de plus, au rayon épicerie de la station-service, il n'y avait rien pour moi. Dans les vitrines réfrigérées encombrées de sodas en tout genre, je ne vis pas l'ombre d'une bouteille d'eau plate. Il y avait bien de la Volvic citron et de l'eau aromatisée au citron vert, mais les 50 ml contenaient déjà 27 g de sucre (l'équivalent de 5 morceaux, ou de 3 beignets à la crème !). Je tenais depuis près de trois semaines et il aurait été trop bête de craquer. Je m'en voulais de ne pas avoir prévu quelques galettes d'avoine pour la route. À défaut de mieux, j'optai pour un sachet de cacahuètes grillées et un Coca Light. Dès la première gorgée, un étrange goût douceâtre et vaguement métallique me souleva l'estomac. Ecœurée, je jetai la canette à la poubelle.

Comment avais-je pu boire jusqu'à deux canettes par jour de ce breuvage ? Heureusement, il me restait les cacahuètes. Je les savourai une à une avant de reprendre le volant. Un délice !

Jour après jour, je poursuivais ma métamorphose, telle une chrysalide se débarrassant de sa peau boutonneuse pour laisser éclore un gros papillon. Mes efforts commençaient à payer : mes ongles poussaient plus vite et paraissaient moins cassants. Ma peau était déjà plus belle : sans maquillage, j'avais à nouveau les joues roses, au lieu du teint cireux, terne et piqueté de taches brunes auquel je m'étais résignée. Mes papilles gustatives redécouvraient la saveur des aliments. Des produits que je n'avais jamais trouvés sucrés – le lait, les amandes – m'apparaissaient sous un jour nouveau. Le grand nettoyage intérieur qui me changerait la vie – un système immunitaire régénéré, une parfaite régularisation de mon cycle menstruel – s'opérerait progressivement au fil des semaines et des mois suivants (j'y reviendrai), mais les changements extérieurs devenaient visibles : mes vêtements me serraient un peu moins et plusieurs amis me firent remarquer que j'avais l'air de « fondre au soleil »… L'image me plaisait : il me restait justement quatre semaines pour relever le défi avant d'aller lézarder sous le soleil d'Espagne dans mon beau deux-pièces. Ce serait l'épreuve de vérité.

Chapitre 3

UNE HISTOIRE DE FAMILLE

Il y avait quelque chose à la fois de libérateur et de terrifiant à me dire que je ne serais plus jamais la même, car, en fin de compte, j'aimais bien la femme que j'étais jusqu'alors. J'avais toujours dans mon réfrigérateur six bouteilles de champagne, une dizaine de bières, vingt flacons de vernis à ongles de marque dans toutes les teintes du nuancier (car un vernis conservé au frais ne vire pas et se pose mieux) et pas grand-chose d'autre, mis à part un carton de lait, des œufs, du parmesan et des épinards. Avec ça, j'étais assurée de passer une bonne soirée à la maison. La plupart de mes amies me ressemblaient – des femmes dans la petite trentaine, célibataires pour la plupart, qui avaient réussi leur carrière professionnelle et faisaient ce qu'elles voulaient, quand elles le voulaient et avec qui elles voulaient.

Mais l'heure était venue de mettre un peu d'ordre dans cette vie de patachon. Il me fallait maintenant prévoir chacun de mes repas, et donc veiller à avoir un garde-manger correctement garni. En modifiant mes habitudes alimentaires, c'était tout mon mode de vie que je chamboulais.

La nouvelle Nicole était née. Mon réfrigérateur s'emplit de bocaux de tahin (une pâte de sésame pour les assaisonnements) et de bouteilles de vinaigre de cidre ; le bac à légumes débordait de concombres, betteraves, poivrons, céleris, kales (choux frisés) et de tous les légumes nourrissants qui me tombaient sous la main ; dans le casier à bouteilles, des purées d'amandes et de graines de chanvre avaient remplacé les bières. La grosse tablette de chocolat noir que je renouvelais dès qu'il n'en restait plus que quelques carrés avait disparu. Les biscuits au chocolat avaient fait place à des biscuits d'avoine. Et dans le congélateur, trois blancs de poulet et quelques petits pois se battaient en duel entre deux bacs à glaçons. Depuis que j'avais entrepris d'écumer les étals de marché et les boutiques bio, mon compte en banque commençait à faire grise mine.

Au bout d'un mois, je tenais bon, mais j'admettais encore mal l'idée qu'il puisse y avoir des aliments « mauvais » ou « interdits ». Rien ne m'horripile davantage que ces gens qui, prétextant de quelque régime, attaquent un demi-muffin du bout des dents, et je ne voulais surtout pas leur ressembler. Soit on en a envie et on le mange, soit on n'en mange pas, et point. Mais qu'on ne vienne pas se plaindre et faire des chichis quand on a craqué.

En dépit de ces convictions bien ancrées, j'étais en train de devenir la pire des chipoteuses – et pour tout avouer, ça ne me déplaisait pas. Dès le premier jour, je m'étais juré de ne rien dire à personne de mon sevrage, à moins que quelqu'un ne remarque quelque chose ou ne me pose des questions. Je n'avais pas envie d'expliquer le pourquoi et le comment à des relations de travail ou à des gens que je rencontrais au cours d'un petit déjeuner ou d'un déjeuner. Je me méfiais en fait de moi-même, car pour peu que l'on me lance sur le sujet, je suis capable de monopoliser la conversation sans même m'en rendre compte. J'ai par ailleurs toujours refusé de me dire que j'étais « au régime ». Peut-être parce que cet aveu trahit un mal-être, et montre que l'on a envie de changer. J'étais certes déterminée à perdre du poids et à vivre plus sainement, mais je ne voulais pas que l'on pense que j'étais mal dans ma peau.

Or, chose étrange, de tous ceux avec qui je suis sortie manger, très peu ont remarqué que j'avais réduit ma consommation de sucres. Ce n'était pas flagrant lorsque je commandais mon menu. Les aliments riches en glucides ont l'avantage d'être très faciles à identifier, et donc à éviter. Lorsque l'on s'engage dans la voie du « sans sucre », si l'on choisit bien son restaurant, on peut en fait manger pratiquement de tout – sauf des desserts, bien entendu. Un poisson fumé en entrée, un steak et une salade font ainsi parfaitement l'affaire. De même, on trouve assez facilement sur la carte des viandes rôties ou grillées, des poêlées de légumes au riz complet, des ragoûts maison et des salades – à condition toutefois de se méfier des assaisonnements. En y repensant, je comprends mieux que mon changement d'alimentation soit passé aussi inaperçu dans mon entourage professionnel.

Le plus dur était à venir : je devais en parler à mes parents. Si mon père ne s'était pas trop formalisé de mon étrange comportement au *club-house* de Wimbledon, mon arrêt du sucre n'échapperait certainement pas à l'œil inquisiteur de ma mère. J'avais repoussé le moment où je lui annoncerais, car j'étais certaine qu'elle ne comprendrait pas. Entendons-nous bien : j'ai une maman formidable, adorable, qui mériterait sans doute la palme de la meilleure mère du monde. Mais depuis que je suis venue vivre à Londres, elle se fait du souci pour moi, et craint que je ne m'embarque dans Dieu sait quel régime alternatif. Avant même que je renonce au sucre, elle m'appelait régulièrement pour savoir ce que j'avais mangé et, bien que je fasse plus envie que pitié, elle était persuadée que je me laissais dépérir. « Ce n'est pas avec ça dans le ventre que tu vas tenir, ma pauvre ! » Si je lui décrivais mon déjeuner, elle se récriait : « Et tu appelles ça un repas équilibré, toi ? Mais enfin, ça manque de fibres ! » Quand mes parents viennent me voir à Londres, elle m'apporte systématiquement du lait, des sachets de thé ou encore une sauce bolognaise maison, qui décongèle lentement pendant le trajet sous cinq couches de sacs plastique. Si j'ai le malheur de lui dire que je viens de me découvrir une passion pour un nouveau produit – à un moment donné, c'était le yaourt à la noix de coco –, je suis certaine qu'elle débarquera avec un paquet de quatre dans ses valises. J'ai beau lui dire qu'on trouve de tout à Londres, elle ne veut rien entendre. Dans son esprit, sa fille « exilée » à deux heures de train ne peut pas s'alimenter correctement sans les bons produits du Sussex.

De toute sa vie d'épouse et de mère de famille, elle a toujours fait très attention à cuisiner avec aussi peu de graisse que possible et à ne pas saler ses plats, car à son sens, « les aliments nature sont déjà assez salés comme ça ». Elle ne s'est en revanche jamais beaucoup souciée du sucre. Enfants, nous n'avions pas le droit d'en ajouter à nos boissons, mais nous en mangions dans tout le reste ou presque.

Dans notre culture familiale, il n'y avait rien d'exceptionnel à ce que nous vidions d'un coup un sachet de Maltesers (ces petites boules au chocolat truffées de miel et de sucres). Comme beaucoup de gens de ma génération, nous buvions en toute impunité des litres de citronnade industrielle hypersucrée, nous ne manquions jamais de biscuits et, le samedi et le dimanche, on refaisait le plein de sodas et autres boissons pétillantes. Ce n'est pas un hasard si ma sœur et moi avons des plombages plein la bouche depuis notre plus jeune âge.

Les confiseries étaient en revanche réservées aux grandes occasions : à Noël, nous liquidions allégrement à quatre deux grosses boîtes de Quality Street. À l'époque où papa jouait au rugby le dimanche après-midi, ma mère et ma grand-mère maternelle nous emmenaient en ville pour un rituel immuable : après les courses et les corvées du jour, mamie offrait à chacune des filles une barre de fudge fourrée à la crème, dont nous ne faisions qu'une bouchée pendant le trajet du retour. Mummhh… Ce goût de caramel fondant…

Trois semaines après le début de mon sevrage, je profitai de mon appel du soir aux parents pour enfin lâcher le morceau :

« J'ai arrêté de manger du sucre, maman.

— Comment ça ? Mais tu n'en manges déjà pas, que je sache ! s'étonna-t-elle.

— Eh bien, si, justement. J'en mangeais beaucoup trop. Dans les céréales, les fruits, les sauces… J'ai aussi supprimé le pain, l'alcool, les glaces et pratiquement tout ce que j'aime. »

Silence au bout du fil.

« Et aussi les jus de fruits et les smoothies. Il y en a vraiment partout, c'est terrifiant, repris-je.

— Hummm… Je vois. Mais il faut quand même que tu manges des fruits et des céréales. Et des jus de fruits, des smoothies. J'espère que ce n'est pas encore un de ces régimes à la mode qui proscrit tous les glucides, au moins. Parce que le pain complet, par exemple, c'est très bon pour la santé. Comme les fruits et les jus, d'ailleurs. Si je comprends bien, tu es en train de me dire que tu ne peux plus rien manger ? C'est ridicule. À ce train-là, tu vas te déminéraliser, manquer de vitamines et tomber malade, c'est tout ce que tu auras gagné. Il faut manger de tout, mais modérément. Et à ton âge il faut profiter de la vie… »

Comprenant que je n'aurais pas le dernier mot, j'acquiesçai et j'en restai là. Mieux valait y revenir progressivement et face à face, pour qu'elle voie que je n'étais pas près de me laisser mourir de faim ou d'attraper le scorbut. Dans les jours qui suivirent, les oreilles me sifflèrent. Je savais ce qu'elle s'était empressée d'aller raconter à papa et à Natalie (qui vivait à deux rues de chez elle avec son mari et sa fille Millie) : « Nicole s'est lancée dans un régime idiot. Elle ne mange même plus de pain ! »

Je ne pouvais pas lui en vouloir. La phase détox m'avait appris beaucoup de choses, et surtout qu'il n'y a pas besoin de manger du chocolat tous les jours, d'ajouter du sucre ou du sirop à son thé et à son café pour être dépendant. J'étais une accro qui s'ignorait et il y avait fort à parier que les autres membres de ma famille l'étaient aussi – à un moindre degré, puisque eux ne buvaient pas des litres de jus de fruits et de Coca Light du matin au soir.

Je leur épargnai mes nouvelles théories, mais je me demandais tout de même jusqu'à quel point il n'y avait pas une composante génétique dans cette addiction au sucre. Ce goût pour le sucré est-il acquis ou se transmet-il de génération en génération ? Bon nombre de chercheurs se sont penchés sur la question et tout semble indiquer que le faible pour le sucré est effectivement génétique : une équipe de l'université de Toronto a découvert que les individus porteurs d'une variante du gène GLUT2, ou transporteur de glucose de type 2, consommaient davantage de sucres que la moyenne de la population.

Je n'avais pas à aller chercher bien loin pour savoir de qui je tenais mon « bec sucré » : mes deux grands-mères (aujourd'hui décédées) étaient extrêmement friandes de sucre. Peut-être parce qu'elles avaient toutes deux connu la guerre et les rationnements. Toujours est-il que jusqu'à la fin des années 1960, l'une et l'autre mettaient quatre cuillerées de sucre dans leur thé et leur café. Mon grand-père maternel (qui est mort quand maman avait quinze ans) avait lui aussi tendance à renverser la boîte dans son verre. Papa, qui a perdu son père à l'âge de sept ans, m'a expliqué pourquoi son père aussi avait un penchant marqué pour les sucreries en tout genre : « Quand les rationnements ont cessé et que le sucre est revenu dans les rayonnages des épiceries, les gens se sont littéralement jetés dessus. Ta grand-mère m'a raconté qu'au bout de sept ans de privations, elle s'est précipitée sur deux grandes boîtes d'ananas au sirop qu'elle a englouties d'un trait. Ça l'a rendue tellement malade qu'elle n'a plus jamais retouché un ananas. »

Cette indigestion ne l'avait pas pour autant écœurée du sucre. Je me rappelle d'ailleurs l'avoir vue saupoudrer sa tartine de beurre de sucre en poudre au petit déjeuner, et ses merveilleux cakes aux raisins secs étaient recouverts d'un épais glaçage de sirop de sucre roux et de sucre blanc ! Comme il se doit, elle avait perdu toutes ses dents et portait un dentier.

Mon père a également pris goût à la saveur sucrée dans sa plus tendre enfance. Étant le benjamin d'une fratrie de six et le seul garçon, il reconnaît avoir été « pourri gâté » : ses sœurs, et ses nombreux oncles et tantes (mes grands-parents, fervents catholiques irlandais, avaient eu treize enfants !) le gavaient littéralement de bonbons et de friandises. À 10 heures, on lui donnait une tablette de chocolat au lait qu'il allait croquer au fond du jardin accompagné de sa chienne Sally. « Dans les années 1950, beaucoup d'enfants avaient des carences alimentaires, et on encourageait les mères à leur donner des compléments à tout bout de champ. Il y avait un truc que j'adorais, c'était l'huile de foie de morue au malt. C'était une sorte d'émulsion épaisse qu'aucun enfant n'aurait avalée à l'état brut. Pour faire passer le goût de l'huile de poisson, ce devait être bourré de sucre. Il y en avait toujours un gros pot marron sur le garde-manger, fermé d'un couvercle doré. J'en prenais deux cuillerées à soupe tous les soirs et je filais aussitôt au lit sans penser à me laver les dents. Je me rappelle aussi que j'attaquais la boîte de sirop de sucre roux à la cuillère sans que personne y trouve rien à redire. »

Dans sa jeunesse, maman se faisait régulièrement des sandwichs à la banane et au sucre. Puis, vers la fin des années 1960, quand elle a commencé à avoir des brûlures d'estomac, elle a arrêté de sucrer ses boissons, persuadée que c'était le sucre qui lui faisait du mal. Pourtant, quand mes parents se sont rencontrés en 1971, papa se souvient qu'elle allongeait systématiquement son Fanta et son Coca de généreuses rasades de rhum.

Mais apparemment, après ma naissance, suivie deux ans plus tard par celle de ma sœur, le sucre n'avait pour ainsi dire plus droit de cité à la maison. Papa appelait ça « le poison blanc » et plus personne ne mettait de sucre dans son verre ni son assiette. Mais à un moment donné – soit quand la consommation de produits transformés s'est généralisée, soit quand la malbouffe a pris le dessus –, nous avons perdu le compte des quantités de sucres que nous avalions. C'est pourquoi, comme je n'ajoutais jamais de sucre à table, maman avait l'impression que je n'en mangeais pas.

« La plupart des produits industriels comportent des sucres ajoutés, parfois issus de différentes sources, m'a expliqué Ian Marber. Si vous étudiez bien la liste des ingrédients sur les emballages, vous verrez que le plus abondant est toujours cité en premier. Si par exemple vous lisez "eau, sucre", puis autre chose, cela signifie qu'en quantité, le sucre est le deuxième ingrédient principal.

Les sucres sont là pour améliorer des aliments qui, autrement, nous paraîtraient totalement fades. En fait, c'est davantage notre sens du goût qui s'est émoussé. Pour flatter le palais, il ne faut pas que ce soit légèrement sucré, mais très sucré.

Quand je conseille à mes clients de préférer aux sushis du sashimi avec une garniture de riz complet, ils ne voient pas la différence, car ils ignorent que si le riz sushi est si compact, c'est parce qu'il a été additionné de sucre.

On trouve également du sucre dans d'autres aliments, plus inattendus, comme le pain riche en fibres. D'ailleurs beaucoup de produits dits "sains" sont bourrés de sucre : le granola, bien sûr, mais aussi le yaourt vanille bio, par exemple, qui contient plus de sucre que de vanille… Dans le panier du magasin bio, il y a souvent nos pires ennemis. Beaucoup de mamans ont renoncé à donner des Frosties à leurs enfants, car elles sont bien conscientes qu'il y a trop de sucre dans la composition. Mais en le remplaçant par un muesli d'excellente qualité, elles leur en font peut-être avaler tout autant, sinon plus. Chacun sait qu'il y a 35 g de sucre dans une canette de Coca et 30 g dans une barre de Mars. Ça ne semble choquer personne.

Vous vous dites sans doute qu'avec un yaourt allégé bio aux myrtilles, vous ne risquez rien. Au contraire, même, puisqu'on trouve déjà sur le paquet quatre informations rassurantes : "bio", "sans graisses", "myrtilles", et "yaourt". Bien des parents préfèrent donner ça en dessert à leurs enfants, plutôt qu'un yaourt aux fraises de la grande distribution, par exemple, qui contient 17,8 g de glucides pour 100 g – ce qui, soit dit en passant, est considéré comme une valeur moyenne. Mais regardez la composition de votre yaourt allégé aux myrtilles : 13,9 g de sucres aux 100 g – soit pas beaucoup moins que l'autre. La différence, c'est que vous ne verrez aucune allégation santé sur le pot de Fantasia aux fraises, qui ne prétend nullement être bon pour la santé. Beaucoup trop de consommateurs font leurs courses en pilotage automatique, alors qu'ils devraient lire soigneusement les étiquettes de tout ce qu'ils mettent dans leurs placards. »

Ian a raison. Nous mettons trop souvent le pilote automatique, remplissant chaque fois notre chariot des mêmes articles, persuadés qu'ils nous feront du bien, sans jeter un coup d'œil aux étiquettes. C'est exactement ce que je faisais, et mes menus se suivaient et se ressemblaient : granola au petit déjeuner, sushis à midi, à 16 heures raisins, fruits séchés et le même smoothie jour après jour, poêlées ou risottos le soir. Savoir ce que l'on met dans son assiette est une chose, mais avoir suffisamment de discipline pour se passer de ce que l'on aime en est une autre.

Il ne m'était jusqu'alors jamais venu à l'esprit d'arrêter le sucre, mais maintenant que j'avais commencé, j'étais d'autant plus motivée que je me voyais maigrir à vue d'œil : en 1 mois, j'avais déjà perdu plus de 3 kilos sans vraiment me priver ni avoir l'estomac creux.

C'était un point essentiel parce qu'il n'y a rien que je supporte plus mal que la faim. Il y a neuf ans, je suis partie avec ma collègue Nell en Thaïlande, où nous devions faire un reportage sur le Chiva Som, un luxueux centre de remise en forme offrant des cures de bien-être. Après douze interminables heures de vol, nous arrivâmes à Bangkok au petit matin. Entre le manque de sommeil et les deux verres de vin que j'avais bus pendant le voyage, j'étais plutôt vaseuse en attendant mes bagages dans le hall glacial. Traverser Bangkok à l'heure de pointe sous une chaleur accablante n'arrangea ni mon état ni mon humeur.

Le Chiva Som est installé à trois heures de la capitale, dans la station balnéaire de Hua Hin, où la famille royale thaïlandaise possède un palais d'été. Niché entre la plage et une jungle luxuriante, cet endroit paradisiaque est la grande destination des stars et des capitaines d'industrie qui, chaque année, reviennent s'y ressourcer pendant une semaine. À notre arrivée, nous fûmes accueillies avec une serviette parfumée à la citronnelle et un délicieux thé glacé. J'étais littéralement affamée. Un garçon de chambre nous conduisit ensuite à notre pavillon, dont il nous livra le mode d'emploi complet : « Pour ouvrir la penderie, c'est comme ça (*en ouvrant normalement la penderie*), pour la refermer c'est comme ça (*en refermant normalement la penderie*)... la porte du jardin s'ouvre comme ça (*comme n'importe quelle porte coulissante*). » Pressée d'en finir, je le remerciai et le poussai vers la sortie et, aussitôt la porte refermée, je me précipitai sur le minibar de la chambre. Horreur ! Mis à part un stock impressionnant de bouteilles d'eau, il n'y avait que des brownies de caroube faits maison. Alors qu'aujourd'hui, je réserve ce dessert aux collations des grands jours, en 2005, je n'y voyais qu'un piètre substitut aux vrais brownies, forts en chocolat et fondant sous la langue. Ce minibar ne ressemblait décidément à aucun autre : pas l'ombre d'une mignonnette d'alcool – ce qui ne me dérangeait pas outre mesure –, pas une seule canette de soda, pas de chips aromatisées, pas même le petit bocal classique de cacahuètes. Je cherchai en vain le KitKat ou le paquet de M&Ms que les hôtels de cette catégorie facturent à des prix astronomiques et que le voyageur en décalage horaire grignote à 5 heures du matin, quand son cerveau pense qu'il est minuit et que son estomac croit qu'il est midi. Faute de mieux, nous nous rabattîmes sur les brownies. C'était notre cadeau d'accueil, et le stock ne fut jamais renouvelé.

Je paniquai. Allons, nous étions dans une retraite santé de luxe, après tout. Ils n'allaient tout de même pas nous laisser mourir de faim. Ma première visite au restaurant me rassura : le buffet débordait de plats plus frais et plus sains les uns que les autres, et nous passâmes le reste de la journée à somnoler et à lézarder au soleil sur des chaises longues, rêvant du bon dîner qui nous attendait.

Puis, le programme détox commença. Puisque j'étais venue pour tester cette cure en personne afin d'écrire mon article, je n'aurais pas dû être surprise : on nous demanda de ne rien boire ni manger de toute la nuit, car dès le lendemain, les médecins du centre nous feraient une prise de sang et un test salivaire pour nous orienter vers le programme le plus adapté. Au matin, Nell avait la bouche si sèche qu'elle parvint à peine à produire assez de salive pour remplir le minuscule tube à essai. Après quoi, on m'annonça ma nouvelle diète : un bouillon clair où flottaient trois feuilles de coriandre deux fois par jour, et un dîner léger. J'avais droit à quelques tranches de papaye de temps en temps – fruit auquel je trouvais un goût de fromage –, et je pouvais boire de l'eau et des tisanes à volonté. Point. J'allai me coucher vers 6 heures du soir, d'humeur massacrante. Le lendemain, maussade et au bord des larmes, j'étais prête à reprendre le premier avion pour Londres. D'autant que les réjouissances du jour s'annonçaient mal : irrigation du côlon. Par chance, en défaisant mon bagage à main, j'avais retrouvé un gros sachet de bonbons aux fruits que j'avais acheté pour le voyage. Nell, plus solide mentalement, refusa d'en manger. Au cours des trois jours suivants, je liquidai consciencieusement le paquet, cachant les emballages dans une poche de ma valise pour ne pas me faire prendre. (Personne ne serait venu vérifier, d'ailleurs, et je ne trompais que moi-même.) Un après-midi, profitant d'une escapade en tuk-tuk, nous achetâmes un paquet de chips dans un supermarché du centre-ville, veillant à ne pas en laisser une miette avant de rentrer à l'hôtel. Quand notre calvaire eut pris fin, en repassant par Bangkok, plus légères et plus radieuses pour n'avoir pratiquement rien avalé de consistant pendant cinq jours, nous nous précipitâmes dans le premier McDonald's. Le Chiva Som était certes un lieu paradisiaque, les soins étaient extraordinaires et nous en ressortions plus minces, le ventre plat et la peau éclatante, mais la nourriture étant le grand plaisir de ma vie, je gardai de ce séjour l'impression d'avoir été au bord de l'inanition pendant un temps atrocement long.

Je m'étais alors juré de ne jamais suivre un régime affamant. En arrêtant le sucre, je me rendis compte que je pouvais toujours manger à ma faim. Ce n'étaient pas les quantités qui changeaient, mais la nature des aliments. Je reviendrai par la suite plus en détail sur mes menus, mais cet exemple vous donnera déjà un aperçu de ma journée type :

Au réveil : un demi-litre d'eau.
Petit déjeuner : un bol de yaourt nature bio accompagné de fruits à coque moulus, de flocons d'avoine, de graines de lin et d'une pincée de cannelle.
Déjeuner : une grosse salade de dinde, tomate, épinards et autres feuilles mélangées, œuf, pignons, le tout arrosé d'huile d'olive.
Goûter : avocat et galettes de flocons d'avoine.
Dîner : steak, salade et yaourt nature.

À la sixième semaine, ne craignant plus de craquer, j'acceptai une invitation au pot de départ d'une amie. Elle m'avait présenté cela comme une soirée calme dans un pub du centre de Londres. « Viens faire un tour en sortant du bureau », m'avait-elle dit. Le temps que j'arrive, vers huit heures moins le quart, la petite bande était en pleine forme – c'est peu dire. Je compris immédiatement que j'avais fait une grave erreur en les rejoignant. Personne ne comprendrait pourquoi je ne buvais pas d'alcool, je serais mal à l'aise... Je n'eus pas le temps de filer à l'anglaise avant d'être repérée.

« Nicole ! Viens ! hurla Jen à la cantonade. Dis donc, tu es superbe ! Qu'est-ce que tu as fait ? » s'exclama-t-elle, tout en invitant d'autres amies communes à se rapprocher pour examiner ma silhouette sous toutes les coutures. J'expliquai que je ne mangeais plus rien de sucré, mais j'avais à peine terminé ma phrase qu'une main me tendait déjà un verre vide et qu'une autre empoignait une bouteille de mauvais vin blanc dans l'un des seaux à glace posés sur une grande table.

« Euh, non, merci, dis-je en repoussant le verre. Pas de vin pour moi. Je n'ai pas très envie de boire ce soir. » Des regards médusés se braquèrent sur moi et on me mitrailla de questions : « Ça ne va pas ? » « Tu es malade ? » « Enceinte ? »…

« Non, non, balbutiai-je. Mais comme j'ai arrêté le sucre, j'évite l'alcool pour l'instant, surtout la bière et le vin blanc. »

Pour casser l'ambiance, il n'y avait pas mieux. Les regards se glacèrent. Il faut dire que parler des méfaits de l'alcool dans un pub… J'allai au bar commander mon cocktail vodka-eau gazeuse-citron vert. Je n'avais pas touché à une goutte d'alcool depuis six semaines. Dès la première gorgée, un goût familier, légèrement antiseptique, me piqua la langue, aussitôt suivi de la saveur acide du citron vert. La vodka-citron a deux avantages : très peu calorique, elle ne se boit pas d'un trait – peut-être parce ce n'est pas si bon que ça. À la deuxième gorgée, je jetai la paille et j'avais déjà un peu la tête qui tournait. En faisant semblant de siroter ma mixture, je remarquai que les convives parlaient de plus en plus fort et que leur conversation se faisait peu à peu plus décousue. Une troisième gorgée et je décidai de rentrer. En bonne journaliste, j'inventai une excuse, laissant là mon verre à moitié plein et mes amies à moitié éméchées. Sur le chemin du retour, je me demandais comment je pourrais continuer à sortir le soir si je ne partageais plus leurs beuveries. Si je prenais la voiture, j'aurais un bon prétexte. Je pourrais aussi arriver dans les premières et repartir avant que tout le monde ne commence à s'échauffer.

Cela étant, le fait de retrouver des amies que je n'avais pas revues depuis des mois et d'entendre leurs compliments m'avait fait du bien. Tout le monde sans exception m'avait trouvé une mine splendide. Beaucoup avaient remarqué que ma peau était plus belle et que j'avais maigri. C'était la preuve que le sucre ne me réussissait pas. Mon bec sucré était peut-être inscrit dans mon patrimoine génétique, mais ma sœur et mes parents étaient minces, eux.

Adolescente, je faisais énormément de sport – de la natation de compétition deux fois par semaine, deux heures de basket à l'école, la livraison des journaux à vélo tous les soirs, sans compter les cours de gym intensifs pour passer mon brevet d'éducation physique. J'avais beau faire, je restais une gamine grassouillette. J'avais également pris de mauvaises habitudes : le samedi, je suivais les copines au McDo, après quoi nous allions faire le plein de bonbons et de tortillons de réglisse à la fraise au supermarché du coin. Je harcelai maman pour avoir des Frosties au petit déjeuner et des biscuits meringués dans ma boîte-repas. Quand j'allais faire les courses avec elle, je glissais des paquets de gâteaux dans le caddie et, dès que nous rentrions, je les récupérais avant qu'elle ne finisse de vider les sacs à commissions et j'allais les manger d'un trait dans ma chambre. Ce ne devait pas être facile pour ma mère d'avoir une fille aussi goinfre, et comme je « travaillais » pour gagner mon argent de poche, elle n'avait plus aucun contrôle sur ce que j'achetais – des confiseries et des vêtements, essentielle-ment.

Ma sœur était tout mon contraire : elle était prête à tout pour échapper aux repas. Je me souviens en particulier d'un incident cocasse pendant des vacances aux États-Unis : elle avait jeté son hamburger sous la table, jurant l'avoir mangé. Malheureusement, papa, qui avait ôté ses sandales, sentit soudain sous son pied un drôle de coussin tiède de viande hachée imbibée de ketchup. Natalie eut droit à un savon en règle.

Bien que nous ayons été élevées toutes les deux de la même façon, nous avions des goûts et des comportements alimentaires totalement opposés. Comment se faisait-il que je trouve un tel réconfort dans les sucreries et autres cochonneries, alors qu'elle y était tout à fait indifférente ? Qu'est-ce qui me poussait à manger sans faim, alors que j'étais une enfant heureuse, qui avait grandi dans un cadre idyllique ? Pourquoi m'obstinais-je à vider sachet de bonbons sur sachet de bonbons, tout en sachant pertinemment que cela me faisait grossir ?

La réponse – que je ne découvrais qu'avec la sagesse de l'âge – était simple : je suis une mangeuse compulsive, Natalie pas. Pour peu que je m'ennuie, sois angoissée, sous pression ou nerveuse – c'est-à-dire, la plupart du temps –, il me faut compenser en me mettant quelque chose sous la dent. En dépit de mon assurance apparente, je suis en fait une grande timide, plutôt solitaire dans l'âme, et je suis rarement bien dans ma peau. Dans mes jeunes années, j'étais invitée à toutes les fêtes, car on comptait sur moi pour mettre de l'ambiance, mais en réalité, je préférais rester dans ma chambre qu'aller en boîte ou passer la soirée au pub. Avec mes amis, j'étais joyeuse et boute-en-train, mais si des gens que je connaissais moins bien engageaient la conversation avec moi, j'étais mal à l'aise, j'avais peur de me ridiculiser. C'est peut-être en partie pour cela que quand j'étais en terminale au lycée, mes amies et moi ne fréquentions qu'une seule boîte de nuit, *The Factory*, où l'on passait de la musique grunge. C'était à vrai dire plus un club qu'une boîte, car tout le monde se connaissait et nous nous sentions en sécurité. Nous nous y retrouvions tous les samedis soir et, tandis que les autres ados picolaient pour pouvoir « s'amuser » et pour se donner des airs de grands, moi, je grignotais mes cacahuètes grillées, chips et autres zakouski (arrosés de quelques verres, tout de même !). Cela me donnait une contenance, je me sentais bien et, contrairement à ceux qui buvaient, je mesurais parfaitement les conséquences de mes excès. J'avais l'impression de maîtriser la situation.

Je pouvais encore prendre ou perdre du poids assez facilement (durant mon année de terminale, j'ai décidé de ne plus manger qu'un paquet de chips au déjeuner, et j'ai rapidement fondu, passant d'une taille 44 à un 38-40). Mais je n'avais jamais pu renoncer au sucre.

« Le palais des jeunes enfants est naturellement prédisposé à préférer le goût sucré aux saveurs acides ou amères, sans doute pour leur éviter de manger des aliments toxiques, explique le Dr Cecilia d'Felice, psychologue clinicienne. Dans la mesure où le premier aliment que nous goûtons – le lait maternel – est très sucré, nous associons cette saveur à un sentiment de bien-être, de contentement, d'affection, de satiété et d'énergie (le sucre est effectivement très énergisant), et ces associations sont alors immuables. Avec l'âge, le palais évolue, bien entendu, mais nous continuons d'être attirés par le sucré car notre cerveau est conditionné. Il est important de comprendre que les saveurs – sucrées, acides ou amères – ne sont que des symboles. C'est la charge émotive que l'on investit dans les aliments qui détermine notre rapport à la nourriture. »

Mon « rapport à la nourriture » n'allait guère s'améliorer. À dix-huit ans, j'ai quitté la maison pour aller faire mes études à

Southampton. Dès le premier jour, j'ai rencontré Joe [le prénom a été changé], étudiant en graphisme et fana de skateboard, qui occupait la chambre voisine dans ma résidence universitaire. Ce fut mon premier vrai petit ami et nous avons vécu ensemble pendant quatre ans. J'étais très amoureuse de lui. Il n'a pas fait grand-chose pour m'aider à me passer de sucreries.

Au début de l'année, j'entrais dans un petit 40. Après les examens de passage, je faisais un gros 42. Joe était plutôt beau gosse, mince et très actif. Il passait ses vacances à faire du snow-board en République tchèque ou du skate. DJ accompli, il allait souvent animer des soirées dans une boîte du quartier et rentrait rarement avant 3 heures du matin. Quand je l'accompagnais, nous vidions verre après verre de vodka, liqueurs et cocktails pendant des heures. Lui n'avait apparemment aucun mal à les brûler, mais pas moi. C'était sans doute parce que pendant que je restais affalée dans mon canapé à regarder mes séries préférées, lui allait faire du sport et se dépenser.

En fait, chaque fois qu'il rentrait à la maison – d'une sortie en skate, d'un cours, de son boulot –, il me ramenait un petit cadeau pour me témoigner son affection : c'était souvent un Coca-Cola cherry (mon péché mignon) ou un gros sachet de confiseries mélangées (sucettes, cœurs de guimauve et Fizzers) dans lequel je picorais tout l'après-midi et jusqu'au soir. Nous avions toujours sur notre table de chevet une boîte de biscuits au chocolat que je grignotais devant la télé ou au réveil. Joe ne cherchait ni à me gaver ni à me faire grossir, mais simplement à me faire plaisir (quand nous nous sommes séparés en 2001, je commençais à ressembler dangereusement à un baleineau !). Inconsciemment, il était pourtant dans cette logique du « je t'aime, donc je te nourris ».

James Duigan consacre d'ailleurs un chapitre de son livre à ce lien entre nourriture et sentiments : « Pour la plupart d'entre nous, quand nous étions enfants, les sucreries étaient des "récompenses" que nous offraient parents, grands-parents et presque tous les adultes de notre entourage. Pour faire passer un gros chagrin ou un genou couronné, on nous donnait un bonbon. Le jour de notre anniversaire, un énorme gâteau dégoulinant de sucre arrivait sur la table. C'est ainsi qu'arrivés à l'adolescence, nous avions déjà appris à associer les produits sucrés aux moments de fête et de bien-être. »

Or, pourrait-on se dire, le bien-être n'est qu'une sensation qui dépend d'un faisceau de facteurs extérieurs. Oui et non : il résulte également d'un mécanisme physiologique, à savoir la libération de certaines hormones dans l'organisme, en particulier de la sérotonine. Et devinez quelles substances stimulent le mieux la production de sérotonine dans le cerveau ?... Gagné : les glucides, et de préférence les plus riches en sucres.

« Une carence en sérotonine peut être à l'origine d'une grave dépression clinique », souligne le professeur Robert Lustig dans son livre *Fat Chance* (non traduit en français). Pour ceux qui ne le connaîtraient pas, le professeur Lustig est un pédiatre américain, spécialisé en endocrinologie, qui a radicalement modifié l'attitude des consommateurs face au sucre. Depuis que sa conférence "*Sugar : The Bitter Truth*" (« Le sucre : l'amère vérité ») a été postée sur Internet, elle a été vue plus de quatre millions de fois. « L'une des façons d'accroître la sécrétion de sérotonine dans le cerveau, poursuit-il, est de manger davantage de glucides, en particulier des sucres. Mais avec le temps, il faut en absorber de plus en plus pour parvenir aux mêmes effets, ce qui nous enferme dans le cercle vicieux d'une surconsommation pour générer un bien maigre plaisir par rapport à un état dépressif persistant. »

Pour lui, le sucre est une substance toxique qui favorise diverses pathologies, à commencer par le diabète. De plus, affirme-t-il, il entraîne une dépendance : « Il n'est peut-être pas aussi addictif que le tabac ou l'alcool, mais s'il est partout, il est impossible de s'en débarrasser, expliquait-il dans une interview au *Sunday Times*. L'industrie agro-alimentaire sait très bien que si elle en ajoute dans ses produits, vous en achèterez davantage. »

Voilà qui devrait vous rappeler quelque chose. J'ai pour ma part clairement reconnu le « cercle vicieux » qui génère « un bien maigre plaisir ». Si je n'ai jamais véritablement été dépressive ni malheureuse, mes humeurs en dents de scie et ma sensibilité à fleur de peau étaient indubitablement aggravées par le sucre. Je commençais à comprendre que j'avais mis le doigt dans un engrenage dont il était maintenant très difficile de me libérer.

Je me demandais aussi si mon régime alimentaire n'était pas en partie responsable de mon incapacité à gérer des situations de stress au bureau. Nous avons déjà vu que les aliments raffinés favorisent le stress en faisant passer trop vite le glucose dans le sang, ce qui se traduit par des pics d'insuline et bouleverse l'équilibre glycémique. Il n'était pas impossible que mes sautes d'humeur viennent également de là – ronchonne en partant au bureau, en pleine forme une heure plus tard (après le petit déjeuner), abattue sur le coup de 10 heures (vite, un petit truc à grignoter !), à nouveau au meilleur de ma forme, puis angoissée avant le déjeuner, et ainsi de suite jusqu'au soir, où je m'effondrais pour mal dormir, me réveiller vaseuse et avec une grosse envie de sucré, et repartir pour un tour... James Duigan explique très bien ce phénomène : « Plus notre glycémie est déséquilibrée, plus nos humeurs en pâtissent : la faim nous tiraille, nous sommes irritables et nous n'arrivons pas à nous concentrer. Un rien suffit à nous contrarier et à nous déprimer. Un apport de sucre a un effet euphorisant immédiat (nous avons l'esprit plus clair, sommes plus réactifs, retrouvons le sourire), mais très éphémère. Dès que le pic est passé, nous retombons de notre petit nuage : la panique, la nervosité reprennent le dessus. Plus nous entretenons ces fluctuations, moins nous sommes à même de réagir aux contraintes du stress – et c'est ainsi que nous retombons dans le piège du sucre. »

Deux mois après le début de mon sevrage, mes vacances en Espagne avec mon amie tombaient à point nommé : nous avions l'une et l'autre le nez dans le guidon depuis des mois, nous croulions sous les « contraintes du stress », et il était grand temps de faire un break. Les séquelles de ma rupture encore relativement fraîche et la discipline qu'exigeait ma nouvelle hygiène de vie avaient par ailleurs prélevé leur tribut. J'étais au bout du rouleau et je n'avais qu'une hâte : me griller au soleil du matin au soir sur une chaise longue en face d'une mer bleue et sereine. Mes parents ayant un appartement dans un charmant petit village de pêcheurs, je proposai cette destination à mon amie. Le fait qu'en cette saison, ledit village fourmillait de grands et beaux Suédois manœuvrant de magnifiques voiliers était totalement le fruit du hasard...

J'avais probablement dû mal m'exprimer en expliquant à ma compagne de voyage ce que j'attendais de cette semaine de vacances : alors que j'avais envie de repos et de calme, elle prévoyait plutôt de profiter de ce séjour pour faire la fête tous les soirs. Au deuxième jour, je sentis que mon ascétisme commençait à l'agacer. Chaque fois qu'elle me proposait un cocktail, une glace ou un sachet de chips, je refusais poliment, sortant consciencieuse-ment de mon sac de plage un paquet de biscuits d'avoine. Je voyais bien que cela la faisait tiquer et je concevais que ma discipline de fer la renvoie à ses propres excès et à sa propre culpabilité. Mais je n'étais là ni pour lui faire la morale ni pour la culpabiliser ; j'avais simplement fait un choix de vie et j'avais bien l'intention de m'y tenir. Je n'avais aucune envie de céder à quelques dîners pantagruéliques, de me laisser aller à accepter une ou deux glaces, ni de faire la tournée des bars, et de passer la journée suivante à manger mon poids en glucides simples et à descendre des litres de jus d'orange. Je n'allais tout de même pas mettre en l'air sept semaines d'efforts surhumains pour cinq jours de ripailles. Il était hors de question de revenir à la case départ – et de revivre le cauchemar de la phase détox. Un soir, le fameux aphorisme « la vie est trop courte pour se priver autant » fut prononcé au détour d'une conversation au bar. Je saisis la balle au bond : non, la vie est surtout courte quand on est en mauvaise santé.

Si on ne peut rien y faire, c'est une chose, mais en l'espèce, je pouvais modifier mon comportement alimentaire afin de me reprendre en main, et je voulais tout faire pour y arriver.

La fin du séjour fut un peu plus tendue que l'une ou l'autre ne l'aurait souhaité. Nous n'en sommes tout de même pas venues aux mains, mais il y avait de l'électricité dans l'air – ou bien n'était-ce que moi ? Tout se passait comme si j'avais failli à un comman-dement implicite : « De cochonneries te goinfreras durant tes vacances. » De mon côté, ce n'était pas une attitude consciente – je précise que nous sommes restées très proches –, mais nous avions simplement réussi à nous exaspérer mutuellement par nos petites manies respectives. C'est le genre de chose qui arrive fréquemment en vacances, lorsque l'on vit vingt-quatre heures sur vingt-quatre avec quelqu'un que l'on ne connaît, somme toute, pas si bien que cela.

Il ne fait pourtant aucun doute que mes réticences à boire et manger n'importe quoi ont largement contribué à envenimer l'atmosphère. Je découvrais que ce qui me faisait si plaisir pouvait aussi être source de conflit. J'ai alors commencé à me dire que le sucre était peut-être le ciment de mes relations sociales et que, sans lui, je risquais de perdre des amis chers. Partager le pain et le vin est, bien entendu, une façon de se socialiser. On ne va pas boire un verre avec un ami parce qu'on a soif, mais pour le voir. Mes vacances en Espagne, associées aux réactions de quelques-unes de mes amies au pub avant mon départ (et au fait que je ne trouvais plus rien d'amusant à me retrouver parmi un groupe de gens éméchés), m'obligeaient à repenser entièrement ma vie sociale.

N'en déplaise à ma fibre féministe, j'ai remarqué que ma nouvelle hygiène alimentaire froissait surtout les femmes. Mes amis masculins s'en contrefichaient. Ils commandaient tranquillement leur bière sans même remarquer que je n'avais que de l'eau dans mon verre. Se pouvait-il que le sucre revête une valeur particulière pour les femmes, ou bien leurs envies de chocolat, de gâteaux et autres douceurs étaient-elles dues à un mécanisme biochimique exclusivement féminin ? Le marketing de ces produits ciblait-il surtout les femmes, ou bien ce faible pour les sucreries cachait-il autre chose ? Que je sache, entre eux, les hommes n'insistent pas pour inciter leurs copains à prendre une deuxième part de fondant au chocolat (ils les encourageraient à prendre un autre verre). Ils ne passent pas un après-midi entier à papoter autour d'un thé et de petits gâteaux. Peut-être axent-ils davantage leur esprit de compétition et leur sens du partage sur la bière.

« Aucune raison biologique ou biochimique ne justifie que les femmes consomment davantage de sucre que les hommes, assure Ian Marber. Les envies – ou besoins – de sucré qu'elles éprouvent ne sont en rien liées à des différences hormonales. D'après moi, cela vient plutôt de la publicité. Les envies de sucre relèvent en fait d'un conditionnement. La preuve en est qu'elles ne sont pas universelles : c'est un phénomène propre aux pays occidentaux. Si nous ne mangions pas de sucre, nous n'en aurions pas plus envie que cela. »

Ainsi donc, la vieille théorie sexiste que j'avais toujours crue basée sur des faits – l'idée bien ancrée que ces dames ont envie de chocolat pendant leurs règles, par exemple – était totalement fallacieuse, ou n'avait du moins aucun fondement physiologique ou biochimique.

Le Dr. Cecilia d'Felice ajoute que, même d'un point de vue émotionnel, il n'y a aucune raison pour que les femmes soient plus attirées par le sucre que les hommes : « Parce que la mère allaite son enfant, le symbole de la femme nourricière est très présent dans pratiquement toutes les cultures. L'association entre femmes et nourriture est si évidente qu'elle a fini par s'enraciner dans les consciences. Il y a certes des exceptions à la règle, mais nous ne pouvons pas dire que les hommes aiment moins cuisiner que les femmes. Ils n'ont simplement pas autant d'occasions d'exprimer cette facette créative et nourricière de leur personnalité. » Notre obsession du sucré serait donc essentiellement le résultat d'un conditionnement social, largement induit par la publicité.

La théorie se tenait : avec tout ce que nous consommons, l'industrie sucrière représente un énorme secteur économique, brassant des sommes faramineuses. Chaque année, des multinationales de l'agro-alimentaire comme Coca-Cola, Kraft et Mars engrangent des milliards d'euros de bénéfices.

En décembre 2013, la presse a révélé que l'OMS avait émis un avant-projet visant à réduire de moitié notre consommation de sucre. Cette proposition faisait suite à un rapport du Dr Paula Moynihan, professeur à l'université de Newcastle, qui préconisait de réduire les apports en sucre pour éviter les caries dentaires. Le comité d'experts de l'OMS semblait cependant davantage s'inquiéter du lien entre une consommation excessive de sucre et l'inflation des taux d'obésité dans le monde occidental. Le plafond recommandé, fixé depuis 1990 à 10 % de l'apport calorique quotidien, passerait donc à 5 %. Il n'est pas exclu que les États adoptent bientôt cette nouvelle directive, ce qui, dans des pays comme le Royaume-Uni ou la France, obligerait à réévaluer les étiquetages nutritionnels fondés sur des codes couleur qui permettent au consommateur d'identifier au premier coup d'œil les produits trop caloriques ou trop riches en glucides, en graisses et en sel. Cette initiative toucherait directement au portefeuille les grands fabricants de confiseries, sodas et autres produits surchargés en sucres. Inutile de préciser qu'un tel chambardement provoquerait une levée de boucliers dans le secteur.

Il est rare que l'OMS renforce ses recommandations. Sa dernière tentative en ce sens, qui remonte à 2003, s'est heurtée à une forte résistance de la part du puissant lobby sucrier américain, qui a lancé une vaste campagne dénonçant les « données douteuses du rapport » et a fait pression sur le gouvernement américain pour qu'il réduise son financement à l'organisation internationale.

La France a elle aussi son lobby du sucre, le Centre d'études et de documentation du sucre (CEDUS), qui regroupe les industriels de la filière et défend les intérêts de ses bailleurs de fonds en finançant des études scientifiques et en organisant des actions pédagogiques pour « l'éducation à la nutrition » dans les écoles. La stratégie semble payante puisqu'en 2013, le premier groupe sucrier français, Tereos, a enregistré un bénéfice net de 313 millions d'euros, en hausse de 32 % par rapport à l'année précédente. La World Sugar Research Organization (WSRO), basée à Londres, se présente sur la page d'accueil de son site Internet comme un « organisme international de recherche » qui s'est donné pour mission de « mieux faire comprendre le rôle que joue directement et indirectement le sucre dans la nutrition, la santé et le bien-être des populations de par le monde ». Or, la WSRO est également financée par l'industrie du sucre. Tiens donc… Naturellement, ces lobbies clament haut et fort que le sucre n'est ni toxique ni addictif.

Un rapide coup d'œil sur le site officiel de Coca-Cola est à ce titre tout aussi édifiant. À la rubrique « Questions fréquentes », la marque déclare qu'aucun des ingrédients de ses boissons ne peut provoquer d'accoutumance. Son raisonnement est simple : le consommateur ne peut en aucun cas devenir dépendant puisque les produits alimentaires et les boissons ne sont pas des drogues. CQFD. Lorsque l'on entend des individus dire qu'ils sont « accros » au sucre et aux denrées sucrées, poursuit le rédacteur, il ne faut y voir qu'une « expression » ou un « raccourci » sans aucune base scientifique, qui signifie tout bonnement que le produit a bon goût et que l'on prend plaisir à le consommer régulièrement.

Si la directive de l'OMS est adoptée, Coca-Cola devra peut-être revoir son discours et ses arguments. (Je me demande d'ailleurs si les communicants de l'entreprise nient également que la caféine – autre ingrédient clé de la plupart des boissons de la marque – crée une dépendance. Auquel cas, ce serait fort... de café!)

S'il est vrai que les effets du sucre continuent de faire l'objet de nombreuses recherches scientifiques et d'alimenter le débat, les manœuvres douteuses des industriels du sucre sont de notoriété publique. En 2013, le *Sunday Times* se faisait l'écho d'un discours de la directrice générale de l'OMS, Margaret Chan, « qui comparait leurs tactiques à celles employées par les grands cigarettiers qui, depuis des années, balaient d'un revers de main les preuves scientifiques démontrant que le tabac est mauvais pour la santé » : « Cette attitude n'est plus l'apanage du lobby du tabac, poursuivait-elle. La santé publique doit aussi composer avec le lobby alimentaire, le lobby des sodas, le lobby de l'alcool. Toutes ces industries redoutent la réglementation et se protègent en utilisant les mêmes tactiques – des tactiques que la recherche a parfaitement décortiquées. Elles vont des associations de façade aux groupes de pression, en passant par les engagements à s'autoréguler, les actions en justice et les recherches financées par l'industrie qui brouillent les pistes, dissimulent les preuves et entretiennent le doute dans l'esprit du public. »

Ian Marber confirme cet état de choses : « En Grande-Bretagne, les recherches sur l'alimentation et la nutrition sont aussi financées en partie par les grandes entreprises du secteur. C'est comme si un constructeur automobile produisant des voitures polluantes collaborait avec les services de santé publique pour abaisser les émissions de gaz d'échappement pour préserver l'environnement. S'il peut bel et bien aider à les réduire, contribuera-t-il à les éliminer entièrement? C'est cela la grande question. »

Je vous invite à méditer cela la prochaine fois que vous serez tenté de plonger la main dans un sachet de confiseries...

Chapitre 4

LA MÉTAMORPHOSE

Je n'avais pas bouclé ma première semaine de détox quand une collègue crut bon de me rappeler qu'il fallait compter au moins vingt et un jours pour voir les premiers résultats. J'en aurais pleuré. Encore quinze jours ?! Autant dire une éternité ! Je dormais mal, j'avais le visage couvert de boutons, mon surpoids m'obsédait plus que jamais, un rien m'irritait et, pour couronner le tout, mon système digestif me jouait des tours. J'étais tellement patraque que je m'étais bouclée chez moi comme un ermite.

Le moral en berne, je me tournai vers la grande chaîne de solidarité des forums en ligne. Les témoignages de ceux qui étaient passés par là me déprimèrent encore plus : certains assuraient qu'au bout de trois jours, ils se sentaient déjà « en pleine forme » et « débordants d'énergie ». Comment faisaient-ils ? Si je n'avais pas été obligée de me traîner jusqu'à la poste pour expédier mon loyer, j'aurais volontiers hiberné sous ma couette une bonne semaine, voire plus.

Je ne pouvais pas continuer comme ça. Il fallait positiver. Après tout, à l'échelle d'une vie, trois semaines de sacrifices, ce n'était pas grand-chose, et moins encore si j'en récoltais les bienfaits jusqu'à la fin de mes jours. Sans pour autant virer *new age*, je savais qu'il était important de ne pas oublier les affres par lesquelles je passais. J'étais étonnée que mon organisme ait pu supporter toutes les toxines que j'avais accumulées, et terrifiée par la violence avec laquelle il s'en débarrassait maintenant. Je me jurai de ne plus jamais lui imposer pareille épreuve.

Comme je l'évoquais plus haut, la nature addictive du sucre demeure une question ouverte. Les marques phares, comme

Coca-Cola – qui, comme par un fait exprès, venait de lancer son slogan « Ouvre du bonheur »! –, assurent que, contrairement aux drogues, à l'alcool ou au tabac, il n'entraîne pas d'accoutumance. Ayant la chance de ne jamais avoir été accro à aucune de ces substances, je serais bien incapable de le confirmer. Tout ce que je sais, c'est qu'il n'est pas facile de s'en passer. Mais je suis tombée des nues en découvrant que d'éminents nutritionnistes, comme Ian Marber, partageaient l'avis des industriels : « Le sucre est agréable au palais. Les récepteurs du sucré se trouvent sur le bout de la langue, ce qui fait que notre goût pour le sucré est en quelque sorte biologiquement programmé. C'est un phénomène naturel. Cela étant, le sucre déclenche également une réponse émotionnelle. Sous prétexte qu'ils aiment le sucre, les gens disent y être "accros"; de fait, le sucre incite le cerveau à sécréter de la dopamine [un neurotransmetteur libéré par certaines régions du cerveau et lié à des sensations de plaisir induites par l'alimentation, le sexe ou les drogues], mais moins qu'on ne voudrait le croire. Lorsque l'on dit "je suis accro au sucre", en réalité on veut simplement dire "j'aime beaucoup le sucre". S'il est possible d'être dépendant des effets euphorisants qu'occasionne la consommation de sucre – et, *a contrario*, des effets dépresseurs dus au manque –, on ne peut pas vraiment être dépendant du sucre proprement dit.

Dans notre culture, manger des sucreries s'accompagne d'un sentiment de culpabilité. Nous avons envie d'attribuer notre faible pour le sucre à des facteurs qui nous dépassent – en nous persuadant par exemple que "c'est génétique" ou bien que nous sommes "dépendants". À vouloir se déculpabiliser, on en oublie le facteur plaisir : il n'y a strictement rien de mal à aimer quelque chose.

L'amour du sucre n'a d'ailleurs rien de nouveau – en témoignent les "goûters" de l'époque victorienne, et le goût marqué des Romains pour les desserts. Si aujourd'hui la surconsommation est due en grande partie aux produits industriels, nous avons toujours aimé le sucre parce que nous sommes sensibles à sa saveur et parce qu'il nous réconforte, mais pas à cause d'une quelconque "addiction". »

Soit. Mais à supposer qu'il ne crée pas de dépendance physiologique, pourrait-il créer une dépendance émotionnelle ? Je posai la question à la psychologue Cecilia d'Felice. « Une substance n'entraîne une dépendance émotionnelle que si l'individu l'associe à des émotions. Si vous vous mettez dans le crâne que le sucre symbolise l'ennemi, alors il deviendra un ennemi. Souvenez-vous que tout symbole n'existe qu'à partir du moment où on l'investit de sens. En soi, le sucre est neutre. À partir du moment où vous jugez qu'il est "bon" ou "mauvais", vous en faites un symbole. Or, d'un individu à l'autre, la qualification de ce symbole peut varier : telle personne dira que le sucre est délicieux, source de plaisir, sain, euphorisant ; telle autre l'associera à des valeurs totalement différentes, le jugeant mauvais pour la santé, pour la ligne, pour les dents, pour la peau…

Il fut un temps où notre apport de sucre provenait exclusivement des fruits frais, des fruits à coque et du miel. On n'y voyait alors qu'un merveilleux don de la nature. Lorsque le sucre raffiné est apparu, il a pris un tout autre sens : parce qu'il était récolté et fabriqué par des esclaves, nous lui avons attaché un sentiment de culpabilité.

De plus, une conception est d'autant plus ancrée qu'elle est partagée. Si votre famille, vos amis ou la société dont vous êtes issu considèrent que le sucre est mauvais, il y a des chances pour que vous adhériez à ce jugement. Dans le cas contraire, vous ne percevrez pas le sucre comme l'ennemi, mais comme une composante normale et agréable de votre régime alimentaire. » En d'autres termes, le sucre peut engendrer une dépendance émotionnelle si nous nous sommes conditionnés pour le charger de sens.

Tout cela devenait un peu compliqué. Mais vu sous cet angle, je devais admettre qu'un bloc de graisses et de sucre – une tablette de chocolat – n'était en soi qu'un objet inerte et inoffensif et que c'était moi qui lui donnais du sens en l'associant à mes propres émotions. Depuis les sachets de bonbons que me ramenait Joe, jusqu'au sachet de bonbons du vendredi après l'école, le sucre a toujours revêtu une dimension affective pour moi – et sans doute pour beaucoup d'entre nous.

Il n'en restait pas moins que, quoi qu'en disent Ian et Cecilia, quand j'ai arrêté d'en manger, j'avais tous les symptômes physiques du manque – maux de tête, faiblesse, sommeil haché, éruptions cutanées, et toutes les autres petites misères dont j'ai déjà parlé. Si la passion du jeu et celle du shopping sont considérées comme des « addictions », comment se fait-il que celle du sucre n'entre pas dans cette catégorie ? James Duigan aborde le sujet dans les pages d'*Équilibre et légèreté* : « Un repas doit être un temps de plaisir lorsque l'on est détendu et heureux. Manger n'est pas une activité qui doit générer des sentiments de honte, de culpabilité ou de désespoir. Si vous désignez la nourriture comme "l'ennemi", vous entrez dans le fameux cycle infernal privation-récompense – la récompense consistant à se jeter sur des produits gras et sucrés qui procurent une sensation fugace de bien-être aussitôt suivie d'une impression de malaise, de fatigue et, au bout du compte, de culpabilité et de honte. Après quoi, on réenclenche le cycle en se privant. »

Y aurait-il donc un fond de vérité dans la théorie qui voudrait qu'il faille vingt et un jours pour se défaire d'une habitude ? Au terme de quelques recherches, je me rendis compte que ce n'était qu'une croyance empirique qu'aucun essai clinique n'avait jamais confirmée. Certaines études suggèrent en revanche qu'il est plus facile d'adopter de nouvelles habitudes que d'en perdre de vieilles, et que si l'on reproduit assez souvent une expérience, le cerveau crée des mécanismes adaptés et cela devient naturel. Qu'il faille ou non vingt et un jours dépend donc du cerveau et de la personnalité de chacun.

Mais si les anciens mécanismes passent au second plan lorsque l'on tente de rompre une habitude – manger un biscuit au chocolat au réveil, par exemple –, ils ne disparaissent jamais tout à fait et se réactivent à la moindre provocation. C'est la raison pour laquelle si l'on décide d'éliminer de son alimentation quelque chose que l'on aime, il faut s'y tenir avec une discipline de fer. Si je suis parvenue à surmonter les obstacles des premières semaines de sevrage, c'est simplement parce que je me suis focalisée sur la récompense, à savoir : l'émergence de la nouvelle Nicole, en meilleure forme, plus mince, plus heureuse. *A priori*, cette attitude n'était pourtant pas dans mon tempérament. Tous mes amis vous diront que je n'ai jamais été très forte pour afficher un état d'esprit positif, mais dans ce cas précis, c'était absolument indispensable pour ne pas craquer pendant ces trois semaines de calvaire. Une fois franchie cette étape, j'ai commencé à en ressentir les bienfaits.

Ian Marber nous a expliqué comment l'organisme réagissait lorsque, après l'avoir submergé de sucre, on l'en privait brusquement. Les taux de glucose sanguin s'affolent, les taux de protéines peuvent chuter et les glandes surrénales sont trop sollicitées, ce qui provoque des extrêmes de hauts et de bas. Le déséquilibre de la flore intestinale entraîne une fatigue et peut dérégler la digestion. Parce que l'excès de sucre épuise les stocks de magnésium et de vitamines B (chargées d'extraire l'énergie des aliments et d'entretenir les fonctions cérébrales et la clarté d'esprit), on a l'impression d'être « dans le brouillard ». Personnellement, j'avais l'impression que l'on m'avait retiré le cerveau pour le remplacer par de l'eau. Ces sensations de malaise peuvent durer plus ou moins longtemps – une dizaine de jours, dans mon cas –, mais l'avantage, c'est qu'une fois qu'elles disparaissent, elles ne reviennent plus. Quand on a touché le fond, on ne peut que remonter.

Certains changements se manifestent presque immédiatement, d'autres sont plus longs à venir. Je vous livre ci-après toutes les améliorations que j'ai constatées au fil de mon sevrage et par la suite :

1 SEMAINE : ACCÉLÉRATION DU TRANSIT INTESTINAL

Je ne m'étendrai pas sur les caprices de mon système digestif, mais les premiers changements se traduisant à ce niveau, il faut bien en parler. Apparemment, plus que la fréquence des selles, c'est leur consistance qui est révélatrice de notre état de santé. Avant de revoir mon alimentation, j'allais aux toilettes une fois par jour, ou tous les deux jours à tout casser. Soudain, le rythme s'est emballé pour passer à trois passages quotidiens, sans effort. Rien de magique à cela : je mangeais beaucoup plus de légumes, riches en fibres, et beaucoup moins de produits transformés, que les enzymes digestives ont plus de mal à dégrader. Pour vous débarrasser des ballonnements, aidez votre organisme à éliminer rapidement les déchets au lieu de les laisser fermenter dans les intestins.

2 SEMAINES : UN REGARD PLUS FRAIS

À ma grande surprise, plusieurs collègues m'ont complimentée sur mes yeux : ils me trouvaient un regard « plus clair », « plus frais » ou « pétillant ». Je n'avais pour ma part rien remarqué de tel, mais puisque cela paraissait si évident aux autres, j'ai cherché à comprendre ce phénomène. La fatigue chronique et le stress sollicitent le foie, qui se met en surrégime pour essayer d'éliminer les déchets de l'organisme (excès de sucres, de graisses, etc.). Le blanc des yeux devient alors jaunâtre, pigmentation qui peut être annonciatrice d'un ictère (ou jaunisse). Je n'en étais jamais arrivée à ce point, mais le simple fait d'avoir déchargé mon foie avait rendu son éclat au blanc de mes yeux. Les cernes qui soulignaient depuis des années mon regard disparurent également vers la fin de la troisième semaine, sans doute parce que mon sommeil s'était aussi amélioré.

3 SEMAINES : AMÉLIORATION DU SOMMEIL

Après les affreuses nuits blanches des premiers jours de sevrage, j'ai relativement vite retrouvé un sommeil de qualité. Au cours des six mois précédents, je souffrais systématiquement d'insomnies. Je me couchais un peu avant minuit et je n'avais aucun mal à m'endormir, tombant généralement comme une masse. Mais sur le coup de 3 heures du matin, je me réveillais et, dès lors, impossible de refermer l'œil. J'avais tout essayé : brumes d'oreiller, comprimés de valériane, bouchons d'oreilles, éviter de boire de l'eau le soir, éteindre téléphone, ordinateur et tous les stimulants extérieurs... Rien à faire. Je me tournais et retournais dans mon lit pendant deux bonnes heures, paniquant à l'idée que j'allais encore arriver fatiguée au bureau. Tous les insomniaques savent à quel point les troubles du sommeil peuvent être épuisants, celui que les médecins appellent « insomnie de maintien de sommeil » (celle qui vous saisit en plein milieu de la nuit) étant le plus courant. La mauvaise qualité du sommeil est due à de nombreux facteurs et les pics de glycémie qui se succèdent tout au long de la journée en sont un.

Lorsque nous dormons, notre cerveau a toujours besoin d'un apport énergétique constant. Si nous absorbons beaucoup de sucres, l'organisme finit par s'habituer à recevoir l'essentiel de son énergie des glucides. Mais du fait de l'alternance de pics de glycémie et d'hypoglycémies réactionnelles, il s'épuise à tenter de réguler son stock de glucose afin de continuer à fournir efficacement le cerveau. Pendant la journée, nous compensons les « passages à vide » en mangeant plus de sucreries, mais la nuit, l'organisme doit prendre le relais et déclencher ses propres mécanismes si le taux de glucose sanguin tombe trop bas. Les glandes surrénales sécrètent alors du cortisol, une hormone, dite « de l'éveil », dont l'un des rôles est d'aller chercher une « énergie de secours » dans les réserves de l'organisme. S'il ne trouve pas suffisamment de glucose, le cortisol déclenche un mécanisme hyperglycémiant : la gluconéogenèse, qui transforme les graisses et les protéines en glucose. Mais les variations extrêmes de la glycémie finissent par tant solliciter les surrénales que celles-ci ne produisent plus suffisamment de cortisol. Dès lors, quand le taux de glucose sanguin retombe pendant la nuit et que le corps ne reçoit plus la source d'énergie à laquelle nous l'avons habitué (le sucre), c'est l'adrénaline qui prend le relais. Cette hormone, à sécrétion très rapide, permet au corps de réagir face au danger et de réguler la glycémie – et c'est cette poussée d'adrénaline qui nous réveille.

C'est ce phénomène qui était à l'œuvre pendant les premiers temps de ma phase de sevrage. Non seulement j'avais du mal à m'endormir (ce qui était en soi inhabituel), mais quand enfin je sombrais, je ne dormais que d'un œil. Je me réveillais plusieurs fois par nuit en nage, avec l'impression d'étouffer de chaleur, et parfois saisie d'angoisse et au bord des larmes sans aucune raison valable, avant de retomber dans un demi-sommeil. C'était épuisant. La deuxième semaine, les choses commencèrent à s'améliorer et, la troisième, je retrouvai enfin un vrai sommeil réparateur, remerciant le ciel pour ce miracle. En fait, cela n'avait rien d'un miracle, mais relevait tout bonnement d'un processus physiologique, comme le résume Ian Marber : « Les gens qui n'ont pas de pics de glycémie pendant la journée dorment mieux ».

1 MOIS : UNE SENSATION DE LÉGÈRETÉ

J'aime à penser que je ne suis pas assez futile pour trop me soucier de mon apparence. Pourtant, je me fais faire des mèches tous les deux mois, j'ai un abonnement chez l'esthéticienne, je collectionne les vernis à ongles, je me maquille, je fais de la gym, etc. Si je clamais sur les toits que j'avais arrêté le sucre d'abord et surtout pour être en meilleure forme, ce n'était pas tout à fait vrai : en réalité, mon poids me préoccupait tout autant que ma santé. Je n'ai jamais été obsédée par la balance et je ne veux même pas savoir ce qu'indique l'aiguille puisque, de toute façon, je suis bien consciente d'être en surpoids. N'étant pas particulièrement coquette, je me glisse chaque matin dans la tenue qui me paraît la plus confortable.

En mai 2012, pour mon anniversaire, j'avais cassé ma tirelire pour m'offrir une superbe robe Dolce & Gabbana, taille 44. Pour 1,78 mètre, c'était une taille tout à fait normale, et je la portais relativement bien. Mais au fond de moi-même, je n'étais pas ravie de faire du 44. Je n'avais pas toujours fait cette taille : à dix-huit ans, je rentrais même dans un 38. Je rêvais de retrouver ce corps svelte de mon adolescence. Mes bourrelets et mes rondeurs mal placées me donnaient des complexes et avaient très certainement des conséquences sur ma santé. Nous savons tous que le surpoids met le cœur à rude épreuve (avec mes problèmes cardiaques, je n'avais vraiment pas besoin de ça), épuise d'autres organes, favorise l'hypertension, peut provoquer un diabète de type 2 et d'autres pathologies, et use prématurément les articulations. Chaque fois que j'allais faire du jogging, je rentrais avec une blessure – sans doute parce que j'étais trop lourde pour mes jambes. Le trajet à vélo entre la maison et le bureau passe par quelques raidillons, et le temps que j'arrive, j'étais toute rouge et en sueur. Pour faire bonne figure devant les collègues, je pestais contre mon vélo : « Ce fichu Pashley est lourd comme un tank ! » – ce qui n'était pas faux, surtout avec mon sac dans le panier de guidon. « Et en plus, je n'ai que cinq vitesses », ajoutais-je. Puisque c'était la faute du vélo, je me gardais bien de mettre mes jambes ou mon souffle en cause.

J'ai la chance d'avoir toujours eu les membres assez fins, mais à force de manger des sucres raffinés, des produits transformés et de boire de l'alcool, je voyais la graisse s'accumuler dangereusement sur les cuisses, les hanches, le ventre, la taille et le dos.

Je voulais donc perdre du poids, mais, contrairement à certaines de mes collègues qui pouvaient déguster tous les matins un pain au chocolat et une grande tasse de café crème sans prendre un gramme, il m'était plus facile de grossir que de maigrir. Il suffisait que je regarde un sandwich jambon-fromage pour sentir mon jeans rétrécir sur moi. Et dès que quelques kilos superflus s'installaient, je mettais un temps fou à m'en débarrasser (ce qui, soit dit au passage, est un autre indicateur de la résistance à l'insuline).

Il n'était toutefois pas question de me torturer pour maigrir. Je n'avais pas envie de consommer des préparations de régime ou des boissons artificielles qui, au bout du compte, ne calent pas l'estomac. Je savais que si j'avais faim, si je devais comptabiliser mes points, calculer mes calories, culpabiliser au moindre écart et me peser régulièrement, je ne tiendrais pas le coup et mes sacrifices n'auraient servi à rien. Si ce type de programme aussi strict que directif peut marcher pour certaines personnes, ce n'était pas ma tasse de thé. Limiter ma consommation de sucre me paraissait davantage dans mes cordes. Mais comme pour tout, c'est une question de volonté. Le plus dur fut d'admettre que les bénéfices à long terme – c'est-à-dire, sur ma santé et mon aspect physique – comptaient à mon sens davantage que les plaisirs à court terme – me gaver d'aliments transformés, de fruits, de glucides simples et d'alcool.

Le regard des autres est à ce titre un élément moteur de la motivation : lorsque j'eus passé le cap de la quatrième semaine, les compliments ont commencé à pleuvoir. Tout mon corps avait fondu, mais je remarquai d'abord les résultats sur mon ventre et mes hanches. J'étais encore loin du compte, mais j'avais déjà le ventre un peu plus plat, ce qui prouvait que j'avais été bien inspirée d'éliminer de mon régime alimentaire beaucoup de ces produits qui me faisaient jusqu'alors tellement plaisir. Mes vêtements me serraient moins et j'avais gagné un cran sur ma ceinture. Semaine après semaine, mon poids continuait de baisser régulièrement. Je ne comptais plus les commentaires élogieux. Mes bras étaient moins flasques et mes fesses plus fermes. J'avais aussi perdu un peu de poitrine – ce fut d'ailleurs la première chose que remarqua l'un de mes ex lorsqu'il me croisa dans la rue (ce type de commentaire expliquant pourquoi c'était un ex). J'avais en réalité plus l'impression d'avoir « rétréci » que « maigri ». Depuis l'été 2012, je suis passée d'une taille 44 à un 38-40. Si on m'avait dit plus tôt qu'il suffisait d'arrêter le sucre pour en arriver là, je n'aurais pas attendu si longtemps !

1 MOIS : UNE PEAU PLUS ÉCLATANTE

Le célibat a ses avantages. Puisque je dormais seule, j'avais toute latitude pour me barbouiller le visage de crème antiseptique avant d'aller me coucher – et je ne m'en privais pas. Tous les soirs, je recouvrais généreusement les boutons qui avaient bourgeonné pendant la journée de grosses noix d'une crème blanche à l'odeur peu ragoûtante, qui imprégnait autant le bas de mes joues – la partie du visage la plus touchée – que mes draps et mes taies d'oreiller. Pas très sexy tout ça… Le matin, avant même d'ouvrir les yeux, je me tâtais la mâchoire inférieure pour voir s'il en était sorti d'autres pendant la nuit. Je ne comprenais pas que je puisse faire des poussées à plus de trente ans, alors que j'avais toujours eu une peau plutôt saine. Pour ne rien arranger, mon teint était devenu terne et chaque matin, quand j'allais prendre ma douche, le miroir de la salle de bains me renvoyait l'image horrifiante d'une Nicole au visage gris et bourgeonnant. Je dépensais une fortune en produits de gommage pour essayer d'éliminer les cellules mortes, ce qui avait au moins le privilège de stimuler la circulation, mais une demi-heure plus tard, mes joues roses avaient laissé place à une mine tout aussi triste.

Autre chose me déprimait : ayant une peau claire, dès que je m'exposais un tant soit peu au soleil, des taches brunes apparaissaient, soit sur le front, soit au-dessus de la lèvre supérieure. C'était la redoutable « moustache hormonale », comme l'appelait mon amie Olivia. Cette pigmentation est courante chez les femmes qui ont eu des enfants ou prennent la pilule, mais je n'entrais dans aucune de ces deux catégories. C'était à n'y rien comprendre.

Je m'acharnais à soigner ma peau par des traitements externes – grâce à mon métier, j'avais pu essayer les crèmes de nuit anti-acné et je bénéficiais de séances intensives de soins du visage dans les meilleurs salons de beauté de la ville. C'était peine perdue. Et puisque la présence de boutons sur le bas du visage est souvent liée à un dérèglement hormonal, ce n'était de toute façon pas cela qui aurait réglé le problème.

Il y avait aussi les rides et pattes-d'oie, fonds de commerce des fabricants de crèmes anti-âge. Bien que je travaille dans la presse féminine, j'ai résisté pendant des années aux diktats de la mode qui poussent les femmes à rechercher à tout prix la « jeunesse » et la « beauté ». Ayant découvert à vingt-sept ans que j'étais atteinte d'une anomalie cardiaque, je me disais souvent que je n'arriverais sans doute pas à l'âge où l'on commence à avoir des rides. Mais par un étrange pied de nez du destin, deux ans plus tard, mon visage s'était déjà creusé de petits sillons bien visibles. Ils n'étaient naturellement pas apparus du jour au lendemain, mais je remarquai qu'ils se concentraient surtout sous les yeux et me barraient le front. Comment ces rides étaient-elles arrivées là ? J'avançais certes un peu en âge, mais je n'avais rien changé à mon mode de vie, ma peau n'était pas sèche, je la protégeais systématiquement d'un écran solaire à haut indice UV lorsque j'allais au soleil, et je continuais de boire mon litre et demi d'eau chaque jour.

Ma collection de lotions astringentes et de laits hydratants, que j'appliquais consciencieusement tous les soirs, était désespérément inutile. Aucune crème, aussi chère soit-elle, ne peut faire disparaître les rides. Beaucoup sont très efficaces pour hydrater et raffermir la peau, ce qui atténue l'effet des rides et les comble plus ou moins, mais de là à les éliminer, il y a un gouffre. Il n'existe à ce jour que deux techniques éprouvées : les injections de Botox ou le lifting, mais je n'étais pas prête à sauter le pas. Je continuais donc à nettoyer ma peau aussi bien que je le pouvais, et je me consolais avec un bon fond de teint Yves Saint Laurent. À défaut de faire des miracles, le maquillage parvient à camoufler une multitude de petites imperfections. Je me demandais tout de même comment ma peau avait pu s'abîmer si vite.

Jusqu'au jour où j'ai réduit le sucre dans mon alimentation. En quelques mois, les boutons d'acné ont disparu. Ils avaient bien sûr laissé quelques rougeurs et cicatrices, mais pour la première fois depuis des années, il ne m'en poussait pas un nouveau sur le bout du nez tous les matins. Mon visage était encore légèrement congestionné et, lors de mes vacances en Espagne, quelques taches brunes étaient apparues de-ci de-là. Mais au cours des mois suivants, je constatai que ma peau résistait bien mieux à l'exposition au soleil. Mes amis s'extasiaient sur ma « bonne mine » et ma « peau éclatante » – autant de compliments que personne ne m'aurait faite deux ans plus tôt. Intriguée, je demandai à Mica Engel, de la clinique Waterhouse Young, si elle pensait qu'il pouvait y avoir un lien entre la malbouffe et l'aspect de notre visage. « La théorie dominante du vieillissement cutané repose aujourd'hui sur trois facteurs essentiels : les radicaux libres, les méfaits du soleil et la glycation.

Notre peau commence à vieillir à partir de l'âge de vingt-cinq ans. Jusque-là, c'est le renouvellement cellulaire rapide qui donne aux jeunes filles cet aspect frais et lisse. Après cela, tous les mécanismes physiologiques commencent à ralentir. À l'époque où l'espérance de vie ne dépassait pas trente ans, on ne se souciait pas beaucoup des phénomènes de vieillissement. Aujourd'hui, nous atteignons allégrement les quatre-vingts ans ou les quatre-vingt-dix ans, et la loi de l'usure physiologique nous rattrape.

À vingt-cinq ans, l'organisme commence à perdre sa capacité de gérer les méfaits du soleil, des radicaux libres et de la glycation [ce phénomène a été expliqué page 53]. Bien qu'il s'agisse là d'un mécanisme de vieillissement naturel, une mauvaise hygiène de vie et en particulier une alimentation riche en sucres ou la consommation de produits grillés, voire carbonisés au gril ou au barbecue, accélèrent le processus. C'est pourquoi il vaut mieux soit manger cru, soit privilégier la cuisson à la vapeur.

Les radicaux libres, eux, sont des molécules instables fabriquées naturellement par l'organisme lorsqu'il métabolise les nutriments que lui apporte notre alimentation. Si vous mangez beaucoup de graisses et de sucres, qui sollicitent beaucoup le foie, le métabolisme doit passer à la vitesse supérieure pour les dégrader et les radicaux libres se multiplient. Ces molécules se fixent alors à d'autres molécules pour se stabiliser, et endommagent ainsi les fibres de collagène.

Le troisième et dernier facteur de vieillissement est le soleil. Avec la mode des bains de soleil et des cabines de bronzage, notre génération s'est exposée aux rayons nocifs que sont les UVA et UVB. Des jeunes de vingt ans, et surtout des jeunes femmes, ont ainsi une peau marquée de rides et de taches brunes qui paraît vingt à trente ans plus vieille qu'elles ! Près de 80 % des effets dévastateurs du soleil sont consommés avant l'âge de vingt-cinq ans. Si les adolescentes utilisaient une bonne crème protectrice, elles feraient un excellent investissement sur leur capital peau. »

Si notre peau commence à vieillir dès vingt-cinq ans, Mica s'empresse de préciser que les signes de vieillissement – ridules, pattes-d'oie, taches de pigmentation, teint terne, manque d'élasticité – ne devraient pas être visibles avant trente-cinq ans. Dans le cas contraire, on parle de « vieillissement prématuré ». « Notre visage est le reflet de notre alimentation. Un excès de glucose sanguin oblige l'organisme à accélérer son rythme de production d'insuline. Ces deux processus provoquent des "micro-inflammations" des cellules, dont on pense maintenant qu'elles accélèrent le vieillissement cutané.

La peau est le plus grand organe du corps humain ; son aspect extérieur révèle votre état de santé. Les micro-inflammations des cellules se manifestent sous forme de taches brunes, de rougeurs, de vaisseaux éclatés, de boutons. Vous avez peut-être remarqué que votre peau commence à perdre de son élasticité. Le bas du visage est souvent la première zone à se relâcher. La texture de la peau commence à changer : vous avez le teint irrégulier, de fines rides qui, avec le temps, vont continuer à se creuser, les pores dilatés… Le mécanisme est enclenché. »

En 2011, une étude scientifique menée conjointement par une équipe du Centre médical de l'université de Leyde (Pays-Bas) et le département Recherche et Développement d'Unilever a mesuré la glycémie de 600 individus afin de savoir s'il y avait une corrélation directe entre le taux de glucose sanguin et les signes de vieillissement. Les résultats ont montré que, même en tenant compte d'autres facteurs tels que le tabagisme, les sujets qui présentaient une glycémie élevée avaient l'air un tiers plus âgé que les autres.

Ces recherches n'ont rien d'anecdotique. Mica souligne d'ailleurs qu'il est inutile de se ruiner en régimes ou en soins anti-âge si l'on ne s'occupe pas d'abord de sa santé et de son corps : « Pour bien vieillir, il est essentiel de faire de l'exercice et de surveiller son alimentation. C'est par là qu'il faut commencer si vous redoutez réellement les effets de l'âge. Je sais que cela a l'air très simple, mais le simple fait de modifier son hygiène de vie fait toute la différence. Les compléments alimentaires – comme la vitamine D en hiver, et peut-être des vitamines A et E – pourront aussi jouer un rôle, mais le plus important est de se nourrir correctement. »

Je vous vois d'ici faire grise mine en songeant à tout ce que les glaces et pâtisseries que vous avez mangées ont pu faire à votre teint, mais rassurez-vous, tout n'est pas perdu : « Une fois que vous aurez modifié votre alimentation pour ralentir le processus, vous pouvez encore réparer une bonne part des dégâts, poursuit Mica. Consultez un dermatologue qui identifiera le type d'acné ou de pigmentations dont vous souffrez. Il existe toute une gamme de crèmes et de traitements efficaces pour retrouver une plus belle peau. Certaines crèmes éliminent les taches brunes, d'autres, à base d'acides alpha-hydroxylés (ou AHA), stimulent le renouvellement cellulaire et rendent la peau plus lisse. Il n'est jamais trop tard pour commencer à prendre soin de soi. Souvenez-vous que si votre peau a l'air saine, cela indique que tout votre organisme est sain. »

Si vous hésitez encore à franchir le pas, peut-être l'histoire de Victoria Beckham achèvera-t-elle de vous convaincre. Début 2014, un quotidien britannique a interviewé son dermatologue, le célèbre Dr Henry Lancer de Beverley Hills, pour comprendre comment elle s'était débarrassée de son acné au point d'avoir le teint magnifique que nous lui connaissons maintenant. Il nous a révélé les secrets de l'ancienne Spice Girl : « Victoria Beckham a une beauté naturelle. Très soucieuse de sa santé, elle surveille de près son alimentation, fait du sport, en un mot, elle mène une vie idéalement saine. À une certaine époque, l'acné lui mangeait le visage, mais elle a maintenant retrouvé sa peau de jeune fille grâce à la discipline qu'elle s'est imposée. Je conseille toujours à mes patientes de supprimer de leur alimentation les laitages, la caféine et de limiter au maximum le sucre, de sorte que les glucides ne dépassent pas 20 % de leurs apports énergétiques. Et puisque je suis le seul dermatologue qu'elle a jamais consulté, vous pouvez me faire confiance : ma recette est infaillible. »

6 SEMAINES : STABILISATION DE L'HUMEUR

Beaucoup de journalistes ont, il faut bien le dire, un caractère bien trempé. Cela fait presque partie des qualités requises pour entrer dans la presse. Sans être rancunière ni portée à faire la tête pendant des jours, je suis un peu soupe au lait, mais fort heureusement, je me calme tout aussi vite. Je m'en prends généralement davantage à des situations qu'à des personnes (je ne suis pas du genre à hurler sur les autres), mais depuis quelques années, j'ai souvent constaté que je pouvais perdre mon sang-froid pour une broutille. J'ai toujours eu tendance à fondre en larmes sous le coup de la colère ou de la frustration, mais ce genre de réaction était de plus en plus fréquente. Je ne saurais, bien entendu, mettre cela exclusivement sur le compte du sucre, car de nombreux facteurs interviennent dans les troubles de l'humeur, à commencer par la fatigue et le stress (eux-mêmes étant au demeurant étroitement liés au sucre), mais nous savons maintenant que le sucre aggrave le problème.

J'ai déjà expliqué pourquoi, contrairement à une idée trop répandue, le sucre (ou les aliments qui se transforment rapidement en sucres dans l'organisme) n'aide pas à gérer le stress, mais nous rend au contraire plus nerveux et incapables de faire face aux situations difficiles. Beaucoup d'adultes sont convaincus qu'un carré de chocolat les remettra d'une mauvaise journée. C'est faux.

Des recherches scientifiques ont établi que les sucres raffinés (le sucre de table ou ceux qui sont ajoutés aux aliments transformés) entretiennent les changements d'humeur. Je suis bien placée pour en parler. Il y a quelques années, au bureau, mes collègues et moi avions pris l'habitude de partager un gâteau tous les vendredis après-midi pour fêter la fin de la semaine. Une tradition ridicule, je vous le concède… L'une d'entre nous descendait à la pâtisserie du coin et revenait avec un fondant au chocolat. Comme il se doit, j'étais incapable de résister : une petite part me redonnait de l'énergie pour trois quarts d'heure. Mais après le coup de boost, c'était le coup de barre assuré (nous appelions cela « le coma au chocolat ») : fatiguée, à cran, il me fallait vite une autre part de gâteau, histoire de trouver l'inspiration pour finir de rédiger les titres et les chapeaux de ma rubrique. Je m'accordais donc « une toute petite tranche fine », et le miracle opérait. Puis, une heure plus tard, patatras ! je piquais du nez sur mon clavier. C'était le signal : il était temps de descendre acheter une canette de soda à la cafétéria pour me requinquer jusqu'à la fin de la journée. En un rien de temps, j'avais ainsi absorbé 600 calories sans m'en rendre compte, et sans bouger de mon bureau !

J'étais ainsi tombée dans le piège des pics de glycémie suivis de chutes encore plus brutales et des variations d'humeur qui allaient avec. Si je n'avais pas pris la première tranche de gâteau, je n'aurais pas eu besoin de la deuxième ni du soda.

Pendant la phase aiguë de mon sevrage, le moins que l'on puisse dire est que je n'étais pas à prendre avec des pincettes. Je vivais un tel bouleversement intérieur que le moindre incident me faisait sortir de mes gonds. Mais au bout de six semaines, je commençai à me sentir un peu plus détendue, et je retrouvai progressivement un certain équilibre émotionnel.

Ce qui ne m'empêchait pas de me mettre en rogne dans certaines situations, comme le jour où, partie passer « une journée à la campagne » avec un ami, celui-ci crut bon de rester l'oreille collée à son téléphone portable pendant tout le trajet – et d'éteindre le GPS dont la voix électronique dérangeait sa conversation. J'étais au volant et, naturellement, j'ai fini par me tromper d'itinéraire : bloquée sur une route de campagne à sens unique, j'essayais désespérément de faire demi-tour, déclenchant derrière moi un concert de klaxons. C'en était trop. Je lâchai la bonde à ma colère et le manque de sucre n'y était pour rien !

2 MOIS : REGAIN D'ÉNERGIE

J'avais lu sur les forums que certaines personnes qui s'étaient lancées dans l'aventure du « sans sucre » retrouvaient toute leur vitalité en quelques heures à peine. Ce fut loin d'être mon cas. Pendant les premières semaines, je me suis sentie très fatiguée. Alors qu'en temps normal, je n'ai pratiquement jamais besoin de sieste, je passais tous mes après-midi dans un demi-sommeil, n'attendant que l'heure de rentrer à la maison pour enfin m'effondrer sur mon lit. Ici encore, cette fatigue chronique pouvait être due à plusieurs facteurs, à commencer par les bêtabloquants que je prends tous les jours pour ralentir ma fréquence cardiaque, ce qui n'aide pas vraiment à sauter du lit le matin. Mes longues journées de travail n'y étaient sans doute pas étrangères non plus.

Alors que j'avais toujours trouvé l'énergie d'aller à ma gym avant de commencer ma journée de travail, j'avais de plus en plus de mal à me lever et je me mis à sauter une séance, puis deux... Lorsque j'allais au bureau à vélo, je ne faisais plus que l'aller, et le soir, épuisée, je prenais la solution de facilité et rentrais en taxi. Vous n'en passerez pas nécessairement par là, mais mieux vaut savoir que pendant les premières semaines de sevrage, l'exercice physique peut paraître encore plus éreintant que d'habitude.

Ma nouvelle hygiène alimentaire restait toutefois ma grande priorité, et je la respectais à la lettre. Puis soudain, à la fin de l'été, un déclic se produisit. Ian Marber nous a expliqué au chapitre 2 que restreindre les apports de glucides revient à changer de réservoir. Lorsque l'organisme ne trouve plus la source d'énergie immédiate à laquelle il est habitué, il va en puiser une autre, moins accessible. Pour poursuivre sa métaphore, je dirais que j'eus alors l'impression d'avoir refait le plein. Ma collègue Emma et moi avions embauché sa coach personnelle, Holly Pannett, pour nous entraîner une fois par semaine, pendant l'heure du déjeuner, dans le cadre magnifique des jardins de Kensington, juste en face du bureau. Holly, qui a coaché toute une brochette de mannequins et de célébrités, soutint bravement ses deux élèves rouges et pantelantes dans ce qui n'est en fin de compte que l'arrière-cour de Kate Middleton. Rien de très glamour…

Au fil de ces séances, je retrouvais pourtant « une pêche d'enfer ». Holly étant également nutritionniste, entre deux étirements et flexions du triceps, je lui parlai de mon nouveau régime alimentaire. Elle me prodigua quelques conseils judicieux, me proposa plusieurs recettes inventives (voir chapitre 6), me conforta dans mes choix et me rassura : une bonne hygiène de vie ne m'empêchait nullement de m'amuser et de profiter de l'existence. Comprenant que je cherchais aussi à me réconcilier avec mon corps, elle me fit travailler les zones rebelles – notamment la taille et le ventre où, depuis quelques années, les sucreries et le stress avaient fait des ravages. « Il y a un lien direct entre l'absorption de sucre et la sécrétion de cortisol, la fameuse hormone du stress, m'expliqua-t-elle. Il a été démontré qu'un excès de cortisol entraîne un déséquilibre dans la répartition des graisses, qui vont alors se loger autour de la taille. En réduisant la consommation de sucre, on cible rapidement cette zone. »

Elle avait raison. En l'espace de quatre mois, je perdis près de dix kilos et les épisodes de somnolence qui ponctuaient mes après-midi avaient totalement disparu. Je n'irais pas jusqu'à dire que je mis à bondir du lit chaque matin (pour cela, il faut que j'aie une robe neuve à étrenner), mais je retrouvais le plaisir de me lever du bon pied, d'attaque pour la journée. J'étais en train de devenir une autre personne. Petit à petit.

2 MOIS : UN SYSTÈME IMMUNITAIRE REGONFLÉ

Je suis dans l'ensemble d'une constitution assez solide. Mis à part une méchante dysenterie attrapée au Cambodge pour avoir accidentellement bu la tasse dans une rivière il y a deux ans, je suis rarement malade. Seul bémol : des angines à répétition me pourrissaient littéralement la vie.

Elles avaient débuté en 2008. Je n'en avais plus eu depuis mes années d'école, mais en novembre de cette année-là, je contractai une première angine virale. Je m'en étais à peine remise qu'elle revint en janvier, puis en avril suivant. Pratiquement tout le monde a eu une angine un jour ou l'autre, mais une fois rétabli, on oublie souvent à quel point la fièvre, le sang qui cogne contre les tempes et le mal de gorge peuvent nous mettre à plat. Dans mon cas hélas, les récidives ne me laissèrent pas le temps d'oublier. Pendant quatre ans, j'attrapai une angine trois, quatre, voire cinq fois par an. Lorsqu'il s'agissait d'une angine bactérienne, un traitement antibiotique faisait habituellement l'affaire. Mon généraliste me faisait d'ailleurs une ordonnance préventive d'amoxicilline chaque fois que je partais en vacances. Cela pouvait m'arriver en été comme en hiver, que je sois stressée ou pas. Elle me tombait dessus comme la misère sur le monde, sans aucune cause particulière, et j'en étais réduite à attendre que ça passe. Je passais au travers des mailles de toutes les épidémies de grippe, je n'avais jamais de rhumes, de migraines ni de maux d'estomac. Mais je faisais angine sur angine. À un moment donné, mon médecin m'annonça que ces inflammations à répétition avaient laissé des cicatrices sur mes amygdales, ce qui n'augurait rien de bon. En 2012, il m'envoya faire une fibroscopie chez un ORL. Par chance, l'examen ne révéla rien d'anormal. Le mystère restait donc entier. J'envisageai de me faire retirer les amygdales, mais on me le déconseilla car l'opération est relativement éprouvante pour un adulte. Je devais donc me résigner à vivre avec ce mal.

Mais soudain, les angines disparurent comme elles étaient venues. Je n'en ai plus eu une seule depuis novembre 2012, six mois après avoir arrêté le sucre. Ce ne pouvait être une coïncidence. Ian Marber est d'ailleurs persuadé qu'il y avait bel et bien un lien de cause à effet. « Une alimentation riche en sucres a deux effets sur les défenses immunitaires, m'a-t-il expliqué. D'une part, elle épuise les stocks de magnésium, un oligo-élément qui joue un rôle fondamental pour stimuler et renforcer le système immunitaire. Or, sous sa forme élémentaire, le magnésium assure également le transport du glucose qui, sans lui, ne peut pénétrer et être emmagasiné dans les cellules. Si l'organisme est sollicité en permanence pour traiter l'excédent de glucose, il puise constamment dans ses réserves de magnésium, ce qui, à terme, peut diminuer considérablement la production de globules blancs (ou leucocytes), cellules qui interviennent dans la réponse immunitaire en attaquant et détruisant les agents infectieux et les bactéries. Pour peu qu'à cela s'ajoute une hypoglycémie, les surrénales se mobilisent pour libérer de l'adrénaline. Et l'adrénaline puise elle aussi abondamment dans les réserves de magnésium. D'autre part, la consommation de sucres favorise la fermentation intestinale, ce qui produit des toxines et empêche le renouvellement des probiotiques [des bonnes souches de bactéries qui renforcent le système immunitaire]. Ce déséquilibre peut rendre plus vulnérable aux coups de froid et aux maux de gorge. »

La recette était donc simple : arrêter le sucre pour devenir un être bionique. N'est-ce pas un argument convaincant ?

8 MOIS : FIN DES RÈGLES DOULOUREUSES

J'ai déjà évoqué brièvement mes petits soucis gynécologiques. Après avoir arrêté le sucre, j'ai appris que j'étais atteinte du syndrome des ovaires polykystiques (SOPK), qui se manifeste par la présence de kystes bénins sur les ovaires. Il s'agit d'un trouble hormonal relativement courant (il touche environ une femme sur cinq), mais je n'avais jamais eu aucune raison de penser que j'en étais affectée jusqu'au jour où il me fut diagnostiqué à la faveur d'une échographie. Pourtant, avec le recul, je me rends compte que les signes annonciateurs étaient là, et tout particulièrement des règles irrégulières et douloureuses qui, depuis la fin de l'adolescence, ne m'empêchaient pas de vivre normalement, mais me portaient sur le moral.

Lorsque j'ai entamé ma diète hypoglucidique, la maladie n'ayant pas encore été dépistée, je n'espérais pas résoudre le problème. Il s'est en fait résolu de lui-même. En quelques mois, mon cycle menstruel s'est rééquilibré. Mes règles étaient moins douloureuses et, pour la première fois depuis des années, je n'avais plus à passer deux soirées par mois affalée sur mon canapé avec une bouillotte sur le ventre.

Les chercheurs pensent que la plupart des femmes atteintes du SOPK produisent trop d'insuline – hormone chargée de réguler le taux de glycémie. Ils leur conseillent donc de réduire leur consommation de sucre afin d'atténuer les symptômes. Mais comme l'explique Ian Marber, même si vous n'êtes pas concernée par le SOPK, diminuer les apports en sucre aura un effet bénéfique sur votre cycle : « Le calcium et le magnésium agissent sur le fonctionnement des muscles : le calcium entraîne la contraction musculaire, alors que le magnésium intervient dans le relâchement musculaire. Des règles douloureuses sont souvent dues à une carence en magnésium. »

Quelques mois après avoir renoncé aux sucreries que j'aimais tant, j'ai senti s'opérer une à une toutes ces transformations. J'avais lu des témoignages de gens qui disaient avoir retrouvé forme et beauté après s'être sevrés du sucre, mais je ne croyais vraiment pas que tout cela m'arriverait, à moi. Au fond de moi-même, je soupçonnais les intervenants de ces forums d'exagérer et d'en rajouter une couche, pour vendre un régime auquel ils vouaient pratiquement un culte. Et pourtant, ils avaient raison. Trop de sucre vous détraque complètement, à l'intérieur et à l'extérieur.

En dépit de cette métamorphose, mes envies de sucre ne m'avaient pas totalement quittée. Au supermarché, je me surpris plus d'une fois à lorgner d'un œil envieux le chariot de clients, rempli de plaquettes de chocolat, de gâteaux secs, de Frosties et de sodas multicolores. Mes instincts ne me poussaient plus à les plaquer au sol au milieu du rayon confiseries pour dévorer leurs boîtes de chocolats noirs fourrés à la menthe, mais il m'arrivait encore de ressentir un manque. Je n'étais pas sûre de ne plus jamais craquer, mais pour l'instant, je parvenais à contrôler la situation.

Mais comment savoir si l'on consomme trop de sucres ? J'ai demandé à Ian Marber à quoi il reconnaissait les patients qui avaient une alimentation trop riche en glucides. Les symptômes qu'il décrit devraient vous fournir quelques pistes :

• Fatigue.
• Fringales.
• Langue chargée.
• Flatulences (dues à la fermentation intestinale).
• Peau abîmée ou luisante.
• Difficulté à perdre du poids / empâtement au niveau de la taille et du ventre.
• Troubles du sommeil.
• Sautes d'humeur ou tempérament colérique.
• Crampes musculaires.
• Règles douloureuses.

Chose intéressante, Ian souligne également que les gens minces ont autant de chances d'être dépendants au sucre que les personnes en surpoids, ou simplement un peu trop enrobées. « Aussi mince que l'on soit, si l'on mange beaucoup de sucre, on en paiera un jour ou l'autre les conséquences. La minceur n'est pas forcément un gage de bonne santé. En fait, il n'y a rien d'enviable à pouvoir manger autant de mauvais produits sans prendre de poids, car l'organisme ne déclenche pas ses signaux d'alarme. Lorsque l'on grossit et que l'on se sent mal dans sa peau, on a en revanche deux bonnes raisons de modifier ses habitudes. Il est étonnant que l'on continue de penser que sous prétexte que l'on est mince, on peut faire n'importe quoi. C'est absolument faux. »

Alors, convaincus ? Prêts à rejoindre la révolution du « sans sucre » ? Rien de plus facile lorsque l'on est bien guidé. Et je serai votre guide dans les chapitres suivants.

Chapitre 5

COMMENT DÉCROCHER EN DOUZE ÉTAPES

À ce stade, soit vous êtes totalement convaincu que le sucre est un poison auquel il est urgent de renoncer, soit vous êtes tellement dégoûté que vous préférez ne pas en savoir davantage. Puisque vous lisez encore ces lignes, j'imagine que vous êtes dans le premier cas – du moins je l'espère. Je n'ai aucun intérêt personnel à vous encourager à repenser votre alimentation. Si vous êtes parfaitement satisfait de votre régime actuel et ne voyez aucune raison d'en changer, rien ne vous y oblige.

Mais vous vous serez peut-être un peu reconnu dans mon histoire – entre cette petite bouée qui s'accroche obstinément autour du ventre, les sautes d'humeur, les nuits hachées, les poussées d'acné et toutes ces petites misères que l'on balaie d'un revers de main en les imputant à quelque vague indisposition… On se dit qu'on est « stressé », qu'on a « un coup de mou », ou simplement que l'on n'est « pas dans son assiette » – ma variante de prédilection à l'époque. Il n'est pas impossible que vous vous sentiez ainsi depuis longtemps – des années peut-être –, mais sachez-le : ce n'est pas une fatalité.

Il y a encore trois ans, je n'aurais jamais imaginé écrire ce livre. Et je me serais encore moins crue capable de me plier à une « hygiène de vie » – terme qui, en soi, m'évoquait déjà des « contraintes » et « restrictions » en tout genre. Pourtant j'ai réussi, et vous le pouvez aussi.

Ne vous faites pas d'illusions : les premiers temps seront difficiles. Mais à mesure que les jours passeront – je dis bien les jours et non les mois ou les années –, vivre sans sucre deviendra pour vous une seconde nature. Vous pourrez toujours sortir dîner, acheter un repas à emporter et profiter de soirées entre amis. Simplement, vous ferez des choix différents. En fait, beaucoup de choses seront différentes : vous dormirez mieux, vous retrouverez une taille svelte et vous sentirez plus énergique. Vous serez moins sujet aux fringales et aux humeurs en dents de scie. Vous tomberez moins souvent malade. Et, autre point important, vous réévaluerez totalement votre manière de vous récompenser ou de vous faire plaisir.

Par exemple, je ne vois aujourd'hui plus rien d'agréable à boire une demi-bouteille de vin après le travail : me réveiller avec la gueule de bois après une mauvaise nuit n'est pas exactement ce que j'appellerais passer du bon temps. Je travaille beaucoup ; je veux donc pouvoir profiter au maximum de mon temps libre, me lever du bon pied et me sentir d'attaque pour une nouvelle journée. À l'époque où je picolais – appelons un chat un chat ! –, il m'arrivait souvent de sauter le dîner, de manger sur le pouce lorsque j'étais de sortie ou d'avaler deux ou trois toasts en rentrant. Au réveil, je me sentais vaseuse, affamée et raplapla. Je n'avais qu'une envie : me jeter sur un petit déjeuner plein de cochonneries. Même si je n'y succombais jamais, la tentation était grande de m'acheter un McMuffin au bacon et à l'œuf en passant devant le McDonald's sur le trajet du bureau. Pendant la journée, je me gavais d'aliments riches en glucides et en sucre censés m'apporter assez d'énergie pour tenir jusqu'au soir, puis je rentrais à la maison et fêtais ça en passant prendre un plat à emporter chez l'Indien du coin ou le premier traiteur venu. Mis bout à bout avec tout le reste, ces deux ou trois verres de vin que je m'accordais en sortant du travail ne me paraissent plus si inoffensifs.

Limiter mes soirées au pub n'a pas changé grand-chose à ma vie sociale, et ne changera sans doute pas grand-chose non plus à la vôtre. Hier soir, par exemple, je suis sortie avec une très bonne amie. Après le cinéma, nous nous sommes offert un vrai festin dans un petit restaurant de quartier : curry de poulet aux noix de cajou, accompagné de légumes verts sautés et de riz complet, le tout généreusement servi. Mon amie a pris un verre de vin blanc ; pas moi. Cela n'a pas gâché ma soirée, ni la sienne. À vrai dire, aucune de nous deux n'a jugé nécessaire d'en parler. Vous voyez ? ce n'est pas plus difficile que ça. C'est juste une question de choix.

Si vous êtes prêt à sauter le pas, il n'y a aucune raison pour que ces nouvelles habitudes ne changent pas votre vie comme elles ont changé la mienne.

Dans ce chapitre, je vais vous montrer pas à pas comment vous libérer du sucre. Il est bien entendu que si vous souffrez d'une quelconque maladie, si vous êtes en surpoids, sous traitement ou surveillance médicale, ou si vous n'êtes tout simplement pas sûr que votre état vous permette de vous sevrer, je ne saurais trop vous engager à consulter votre médecin ou votre spécialiste, qui vous conseillera sur la meilleure façon de modifier votre régime alimentaire.

Mais avant toute chose, revenons aux fondamentaux en faisant le point sur ce que l'on entend par « sucre ».

1RE ÉTAPE : DÉBUSQUEZ LE SUCRE SOUS TOUTES SES FORMES

Comme le rappelle Ian Marber, « il existe en fait quatre types de sucres » :

Le sucre ajouté ou sucre raffiné

C'est soit le carré que vous ajoutez à votre thé matinal, soit l'équivalent des cinq morceaux de sucre que contient une canette de Coca-Cola. Il est présent dans presque tous les aliments industriels, que vous n'aurez aucun mal à identifier : la plupart du temps, les ingrédients qui les composent sont méconnaissables (je vous mets au défi de reconnaître un grain de blé dans un paquet de biscuits !). Les nutritionnistes s'inquiètent de l'ajout presque systématique de fructose (sucre issu des fruits) aux aliments préparés que nous achetons sous une forme très transformée.

Contrairement aux autres sucres, le fructose a l'inconvénient de ne pas déclencher de réponse insulinique permettant de réguler sa quantité dans le sang. Il est directement métabolisé par le foie. « Or, lorsque le foie est saturé, explique Ian Marber, il se met à convertir le fructose en graisses qu'il emmagasine dans ses cellules et qui peuvent aboutir à une accumulation pathologique, la stéatose. C'est aujourd'hui une maladie de plus en plus fréquente, qui augmente les risques de développer une résistance à l'insuline et favorise l'épaississement des artères et la survenue de problèmes cardio-vasculaires.»

Le fructose inhibe en outre la sécrétion de leptine, hormone qui contrôle la sensation de satiété. En clair, vous pouvez en manger toujours plus sans vous sentir rassasié.

Les aliments naturellement riches en sucre à éviter

S'ils ne sont pas foncièrement «malsains», de nombreux fruits contiennent une grande quantité de sucre – à l'exception des baies noires, telle la myrtille, qui ont un faible indice glycémique ou IG (voir ci-après). Le vin, les jus de fruits et les smoothies sont également des pièges à sucre.

Les aliments rapidement transformés en glucose dans l'organisme

Ils sont aisément identifiables à leur index glycémique élevé.

«L'indice glycémique permet de classer les aliments en fonction de la rapidité avec laquelle ils sont décomposés en glucose, poursuit Ian Marber. Afin d'éviter les pics de glycémie, il convient de privilégier ceux qui libèrent leurs sucres lentement et nous apportent donc une énergie constante sur une période donnée. Bien qu'il n'y ait pas véritablement de consensus sur l'échelle d'évaluation, je dirais qu'un IG élevé correspond à une valeur supérieure à 100. Il sera moyen lorsqu'il est compris entre 35 et 60, et bas lorsqu'il est inférieur à 35. À titre d'exemple, l'IG d'une tranche de pain blanc est de 100.

Si l'indice glycémique est un précieux indicateur, il ne tient compte que de chaque denrée prise isolément. Or, nous mangeons rarement un aliment seul. Lorsque l'on souhaite mesurer la quantité réelle de glucides dans une association de plusieurs aliments, on utilise la "charge glycémique". Supposons que vous preniez une tranche de pain blanc (IG 100), et que vous la tartiniez de confiture (IG 120) : vous obtenez un IG total de 100 + 120, soit 220, que l'on divise par 2 afin d'établir une moyenne des deux aliments combinés. La charge glycémique est de 110, ce qui reste très élevé. Voyons maintenant ce que cela donne en remplaçant la confiture par du beurre de cacahuètes (IG faible, d'environ 30) : avec la même opération, on arrive à une charge glycémique de 65. C'est encore élevé, mais déjà nettement mieux. Il faut toutefois garder à l'esprit que l'IG à lui seul ne permet pas de juger de l'impact d'un aliment sur la santé. La crème glacée, par exemple, a un IG très bas parce qu'elle est très riche en graisses. Ne s'en tenir qu'à l'IG serait aussi peu significatif que de ne regarder que l'apport calorique d'un aliment sans tenir compte de ses autres caractéristiques nutritionnelles. »

Les « sucres déguisés »

Il s'agit notamment du miel et du sirop d'agave. S'ils sont souvent moins raffinés que le sucre blanc, ils sont métabolisés de façon très similaire. De plus, à environ 60 calories par cuillerée à soupe, le sirop d'agave est beaucoup plus énergétique que le sucre de table (40 calories).

« Dire d'un produit qu'il est "meilleur" qu'un autre ne signifie pas pour autant qu'il est "bon", souligne Ian Marber. Que l'on arrose son bol de céréales de miel, de sirop d'agave ou de sucre ne change pas grand-chose. La différence tient bien souvent à la rhétorique publicitaire et à l'image que le produit nous renvoie. Quand on pense au miel, on voit la nature, les abeilles, une belle journée ensoleillée, des tournesols, une scène champêtre… Le sucre de table, lui, évoque davantage les plantations, les sucreries, les machines qui débitent leurs granules blancs à la chaîne… Le public se plaît à croire que certains types de sucres sont plus sains que d'autres. Mais ne soyons pas dupes : d'un point de vue strictement nutritionnel, ce ne sont que deux formes différentes d'une même substance. »

2ᴱ ÉTAPE : TENEZ UN JOURNAL ALIMENTAIRE

Maintenant que vous savez reconnaître les produits riches et pauvres en glucides, vous n'aurez aucun mal à tenir un journal.

Même si, personnellement, je ne l'ai pas fait par écrit, j'ai dressé le bilan de mes anciennes habitudes alimentaires pour vérifier si, comme je le pensais, je mangeais bien de manière variée et équilibrée. Le verdict, comme vous le savez, a été négatif.

Plusieurs de mes amies, moins gourmandes que moi, qui se demandaient si elles absorbaient vraiment tant de sucre que ça y ont trouvé leur réponse. Récemment, quatre d'entre elles ont décidé de noter tout ce qu'elles mangeaient et buvaient pendant une semaine. Le résultat les a véritablement surprises.

Le sucre se glisse insidieusement dans toutes sortes d'aliments et de boissons. Vous pensez que ce petit sachet de pop-corn, pauvre en calories et en graisses, est un en-cas parfait pour vous redonner un coup de fouet dans l'après-midi ? C'est sans compter sa teneur en sucre... Et ce verre de vin que vous vous autorisez « exceptionnellement » ? Faites le compte à la fin de la semaine : vous ne serez sans doute pas loin d'une dizaine de verres « exceptionnels ».

Un journal de vos menus vous motivera en vous faisant prendre conscience de la quantité de sucre que vous ingérez, et mettra également en évidence les apports sucrés que vous pouvez aisément remplacer par des choix plus sains.

3ᵉ ÉTAPE : CHOISISSEZ VOTRE MÉTHODE DE SEVRAGE

Maintenant que nous savons reconnaître le sucre sous toutes ses formes, nous n'avons plus d'excuse, mais le plus dur reste à faire : décrocher. Faut-il arrêter d'un coup ou progressivement ? Les avis divergent sur ce point. J'ai pour ma part choisi la première solution. Était-ce la méthode la plus facile ? Selon Ian Marber, probablement pas. C'était cependant la seule que je pouvais envisager de façon réaliste.

Comme je l'ai déjà expliqué, il est impossible d'éliminer à 100 % le sucre de son alimentation, puisqu'il y en a dans les produits laitiers, les légumes et, en proportions variables, dans presque tout ce que nous mangeons. Ne nous faisons donc pas d'illusions : le régime hypoglucidique le plus strict contient, lui aussi, nécessairement du sucre.

Depuis que j'ai décroché, je suis généralement très disciplinée, pour la simple et bonne raison qu'il m'est plus facile d'éviter complètement le sucre que de m'en autoriser un peu de temps en temps. Je trouve par ailleurs plus gratifiant d'obtenir rapidement des résultats visibles que de voir venir au compte-gouttes les effets d'un changement progressif. Je suis donc plutôt partisane de la méthode choc, nette et rapide, pour en finir au plus vite. Il est si facile de tergiverser et de remettre à plus tard l'étape fatidique que, le temps passant, j'en aurais perdu ma motivation pour retomber dans mes anciens travers.

Cela étant, j'aurais certainement pu m'épargner un sevrage aussi douloureux et, si vous aussi optez pour un arrêt radical, vous n'aurez pas à en passer par les affres que j'ai connues. Ian Marber m'a effectivement fait remarquer que si j'ai si mal supporté les premiers jours de décrochage, c'était probablement parce que je n'avais pas suffisamment préparé mon corps à un tel traumatisme. J'aurais pu, entre autres choses, prendre des compléments alimentaires[1] pour aider mon organisme à faire face à ces changements et soulager les symptômes de manque. Ian nous livre quelques stratégies pour réussir la transition en douceur :

« Je ne recommanderais pas d'abandonner le sucre du jour au lendemain. Il vaut mieux s'y préparer quelques semaines à l'avance. Commencez par augmenter votre stock de magnésium en privilégiant certains aliments [graines, épinards, légumes secs, haricots, quinoa] ou sous forme de compléments. Prenez l'habitude de consommer des protéines maigres qui aideront le corps à métaboliser le sucre et limiteront les fringales. Je suggère souvent à mes patients de prendre des probiotiques de qualité pour supplémenter leur alimentation, préserver leur flore intestinale et contrer les envies de sucre.

Pensez également à réduire votre consommation d'alcool. Si vous avez l'intention de diminuer vos apports en sucre, autant commencer par là. L'alcool n'a aucune valeur nutritive et apporte de nombreuses calories vides. De plus, ses effets ne se font pas

---

1. Vous trouverez conseils et recommandations à ce sujet sur mon site : www.sweetnothingbook.com [en anglais].

uniquement sentir le jour même. Si vous avez un peu trop bu, le lendemain, votre corps réclamera sa dose de glucides, autant pour satisfaire rapidement un manque d'énergie que pour métaboliser le sucre déjà présent dans l'organisme. De ce point de vue, l'alcool enclenche le cercle vicieux du sucre. »

Je ne saurais trop conseiller de se passer autant que possible de sucre, mais je ne peux naturellement qu'encourager ceux qui souhaitent simplement limiter leur consommation si cette solution leur paraît plus réaliste. À chacun de voir, en fonction de son mode de vie, ce qui lui convient le mieux.

Plusieurs de mes amis, surtout parmi ceux qui ont des enfants, ont choisi d'y aller progressivement : ils ont commencé par limiter les sucres ajoutés, pour parvenir petit à petit à des choix alimentaires plus sains, tout en s'accordant un écart de temps en temps. Tous continuent à manger des fruits, beaucoup boivent encore du vin – « mais seulement le week-end ». Ils ont unanimement éliminé les sodas, les aliments transformés et les sucres raffinés. Si vous voulez en faire autant, voici quelques suggestions très simples qui peuvent vous aider à réduire votre consommation de sucre :

• Le midi, troquez le sandwich ou les frites contre une soupe ou une salade assaisonnée à l'huile d'olive.

• Désertez les chaînes de cafés. La plupart des boissons qu'elles servent sont bourrées de sucre, de sirop et de Dieu sait quoi, et leurs comptoirs sont couverts de gâteaux, biscuits et autres douceurs. Ne vous soumettez pas à la tentation, économisez votre argent et offrez-vous un petit cadeau à la fin du mois.

• Remplacez le jus de fruits frais du matin par une infusion ou de l'eau.

• Pour le goûter, plutôt qu'une barre chocolatée, grignotez une poignée d'amandes ou d'autres fruits à coque, ou trempez des bâtons de crudités dans un pot de hoummous ou de tzatziki.

• Augmentez votre consommation de bonnes graisses en prenant régulièrement en dessert ou au petit déjeuner un yaourt entier saupoudré de quelques amandes grillées et de cannelle.

• Découvrez-vous une passion pour les avocats.

• Remplacez le riz blanc par du riz complet (dont l'IG plus bas limite les pics de glycémie).

• Faites le ménage dans vos placards et n'achetez plus de produits sucrés. Exit biscuits, chips, gâteaux, sodas, sirops et autres cochonneries. Pour s'en sevrer, le mieux est de ne pas en avoir sous la main.

• Arrêtez l'alcool. Si la tentation (ou la pression sociale) est trop forte, préférez une vodka allongée d'eau gazeuse et parfumée d'un filet de jus de citron vert. Dans ce cocktail pauvre en sucre et en calories, l'eau réhydrate l'organisme et compense les effets de la vodka.

• Débarrassez-vous des aliments artificiellement édulcorés ou des produits allégés qui contiennent de « faux » sucres à basses calories. Ce qui nous conduit à l'étape suivante.

4ᴱ ÉTAPE : MÉFIEZ-VOUS DES FAUX SUCRES, QUI SONT DE FAUX AMIS

Si vous arrêtez le sucre, ne tombez pas dans le piège des édulcorants de synthèse, en vous disant qu'ils vous assureront tout de même votre petite dose de sucré, les calories en moins. Fuyez le Coca Light et autres produits truffés de faux sucres ! Des recherches indiquent en effet que ces édulcorants – dits « intenses » et dont certains auraient un pouvoir sucrant 13 000 fois supérieur au sucre – fausseraient notre perception de la saveur sucrée, nous incitant à la surconsommation. Leurs effets néfastes ont fait couler beaucoup d'encre et d'aucuns les ont même accusés d'accroître les risques de cancer et d'autres maladies graves. Soulignons qu'aucune étude scientifique sérieuse n'a jamais établi un tel lien. Des chercheurs ont toutefois récemment démontré qu'en consommant ne serait-ce qu'une boisson artificiellement édulcorée par jour, on augmente les risques d'obésité, de diabète de type 2, du syndrome métabolique et de maladies cardio-vasculaires. Des études au long terme ont en outre montré que substituer les édulcorants au sucre ne facilite pas nécessairement la perte de poids. Témoins, ces conclusions présentées sur le site Internet de la prestigieuse École de santé publique de Harvard : « Une étude menée auprès d'une cohorte de 3 692 individus a examiné le lien à long terme entre la consommation de boissons artificiellement édulcorées et le poids. Les participants ont été suivis sur 7 à 8 ans, période au cours de laquelle leur poids a fait l'objet d'un contrôle régulier. Compte tenu des facteurs favorisant la prise de poids (régime alimentaire, sédentarité, diabète, etc.), l'étude a montré que les participants qui buvaient des boissons artificiellement édulcorées avaient vu leur indice de masse corporelle (IMC) augmenter de 47 % par rapport à ceux qui n'en consommaient pas.

L'une des raisons pour lesquelles les édulcorants de synthèse sont pointés du doigt tient à leur action perturbatrice sur la capacité de l'organisme à jauger la quantité de calories ingérées. Certains travaux soulignent qu'ils n'ont pas les mêmes effets que le sucre sur le cerveau.

Le cerveau humain réagit à la saveur sucrée en envoyant des signaux invitant à manger plus. Or, en apportant ce goût sucré sans calories, les édulcorants de synthèse poussent à consommer toujours plus d'aliments et de boissons sucrés, ce qui peut se traduire par un apport calorique excessif.

Les chercheurs de l'université de Californie à San Diego ont fait passer une IRM fonctionnelle à deux groupes de volontaires invités à siroter de petites gorgées d'eau aromatisée, pour les uns au sucre, et pour les autres au sucralose (un édulcorant intense). Ils ont constaté que, contrairement au sucralose, le sucre activait les régions du cerveau associées au circuit de récompense. Il est possible, en ont-ils conclu, que le sucralose "ne comble pas entièrement un désir de sucre naturel et calorique". Ainsi, tandis que le sucre envoie un signal positif de récompense, les édulcorants artificiels ne seraient pas efficaces pour assouvir les envies de sucre. »

Lorsqu'il manifeste son besoin de sucre, l'organisme ne se laisse donc pas berner par les « faux » sucres. Ce qu'il veut, c'est du « vrai » sucre et il le réclame avec tant d'insistance qu'à moins d'avoir une volonté de fer, nous finissons souvent par lui en fournir…

Sachant qu'en se désaccoutumant d'emblée des produits sucrés, on rompt cette spirale infernale, les petits sacrifices que cela implique en valent amplement la peine.

Permettez-moi à ce propos de vous raconter une petite anecdote. Jane, ma meilleure amie, et moi-même étions toutes deux de grandes adeptes du Coca Light. J'ai pour ma part fait une croix dessus il y a trois ans, après avoir lu de nombreux articles plus terrifiants les uns que les autres, mais avant cela j'en buvais deux canettes par jour. Ce n'était rien par rapport à Jane qui, travaillant à domicile, en faisait une consommation assidue. Puis, début 2014, elle a arrêté d'un coup. Intriguée, je lui ai demandé ce qui l'avait motivée. « Je pouvais en boire jusqu'à six à huit canettes par jour, m'a-t-elle avoué. Il n'y a probablement pas de quoi être fière, mais j'étais capable d'en engloutir une en à peu près trois gorgées. Mais j'ai fini par me rendre compte qu'au bout d'un quart d'heure, j'avais déjà envie d'en boire une autre et, puisque j'avais toujours un pack de huit en réserve, j'y allais gaiement. »

Jane, qui avait déjà commencé à modifier son hygiène de vie, a alors décidé de se désintoxiquer et de passer à l'eau. « Je ne sais pas si on peut vraiment être "accro" au Coca Light, poursuit-elle. La marque affirme en tout cas le contraire. Tout ce que je sais, c'est que ça me manquait terriblement quand j'ai arrêté. L'eau me paraissait totalement insipide en comparaison, et quand j'allais faire mes courses, je lorgnais du côté des canettes. Je dois reconnaître que j'y pensais toute la journée et que j'avais beaucoup de mal à m'en passer, mais après avoir tenu bon deux ou trois semaines de suite, j'en faisais moins une fixation. À tel point d'ailleurs que, si on me l'avait demandé, j'aurais été bien incapable de décrire le goût du Coca Light. Il y a quelques jours, par curiosité, j'en ai repris. Je n'en revenais pas : c'était carrément imbuvable ! Ça avait un goût métallique, fade – infect ! Je suppose que mon palais a changé, mais je ne comprends pas que j'aie pu un jour trouver ça bon. »

Jane a également remarqué que ses envies de grignoter du sucré le soir ont totalement disparu depuis qu'elle a laissé tomber le Coca Light. « Je ne suis pas ce qu'on appelle un "bec sucré". Je ne suis pas très gâteaux ou desserts, mais ces dernières années, j'avais pris l'habitude d'avaler deux ou trois carrés de chocolat avant de me coucher. Depuis que j'ai arrêté les boissons light, ça ne me vient même plus à l'esprit. Ça n'a peut-être aucun rapport, mais avec ce que tu m'as dit sur l'étude de Harvard, ce serait une étrange coïncidence. »

Si vous ne pouvez vraiment pas vous passer de sucre dans votre thé, Ian Marber recommande d'essayer la stévia, un édulcorant naturel extrait d'une plante qui possède un pouvoir sucrant 200 fois supérieur au sucre. « Le seul substitut au sucre qui présente un réel intérêt à l'heure actuelle est la stévia, affirme-t-il. Mais son goût est légèrement métallique, d'aucuns diront chimique. C'est toutefois mieux que certains autres édulcorants proposés sur le marché. »

N'oubliez pas que les chewing-gums et pastilles sans sucre contiennent également des édulcorants. Si certains estiment qu'ils les aident à juguler leurs envies de sucre, de nombreux gastro-entérologues pensent que lorsque nous mâchons du chewing-gum, l'organisme se prépare à l'arrivée de nourriture : il enclenche en effet le processus de digestion en sécrétant davantage de salive et de fluides gastriques et pancréatiques afin de décomposer les aliments attendus. Or, bien entendu, rien ne vient, ce qui peut perturber le système digestif. La consommation de chewing-gum serait également responsable d'aérophagie, entraînant crampes d'estomac, ballonnements et flatulences. À éviter, donc…

5ᴱ ÉTAPE : REPROGRAMMEZ VOTRE CERVEAU

Laissez-vous le stress, la joie ou la tristesse dicter votre appétit ? Si la nourriture est pour vous une « récompense », une source de réconfort ou un plaisir un peu « coupable », vous faites sans doute partie de cette catégorie de gens dont on dit qu'ils « mangent leurs émotions ». C'est-à-dire que vous associez au fait de manger un sens qui lui est totalement étranger. Pour adopter une meilleure hygiène de vie, commencez par vous débarrasser de ce réflexe et par cesser d'envisager les aliments comme une « compensation » de vos frustrations ou de vos efforts.

C'est une spécialiste de la chose qui vous parle ! J'ai passé des années à me récompenser de douceurs pour tout et n'importe quoi – une journée de travail bien remplie, une séance de gym, un article bouclé… Et je m'accordais parfois ce genre de petits plaisirs jusqu'à deux ou trois fois par jour.

Sans réellement renoncer à ce principe, j'ai totalement modifié ma conception de la « récompense ». Aujourd'hui, au lieu de me gorger de sucreries pour quelques minutes de bien-être, je trouve bien plus gratifiant de ne plus être dépendante du poison blanc, de voir ma silhouette s'affiner, de me sentir plus belle et en meilleure santé. Pour moi, le choix a été vite vu puisque, manifestement, on ne peut à la fois avoir un régime riche en sucre et être bien dans sa tête et dans son corps.

« Avant d'amorcer un changement radical dans votre mode de vie, identifiez ce qui vous permettrait de vous sentir vraiment bien dans votre peau et ce à quoi vous aspirez, recommande Lee Mullins, directeur coaching du programme Bodyism. Puis, posez-vous la question : est-ce que manger du chocolat – par exemple – va m'aider à atteindre cet objectif ? »

Bien sûr, il ne faut pas que cela vous empêche d'apprécier le contenu de votre assiette et de prendre plaisir à faire la cuisine et à partager un repas. La nourriture est bien plus qu'une source d'énergie pour notre corps, elle crée des liens, et c'est un moyen de se détendre, de recevoir chez soi, de témoigner son affection à ses amis.

« Non seulement ne plus manger de sucre du tout est quasiment impossible, mais en termes simples et pratiques, considérer un aliment comme totalement interdit revient à l'investir d'une charge émotionnelle, explique Ian Marber. Cela signifie qu'un même aliment – prenons le chocolat, par exemple – peut être considéré par la même personne comme un plaisir un jour, puis comme une punition le lendemain. Or il n'est rien de tout cela, ce n'est que du chocolat.

Quand on y réfléchit bien, le sucre constitue une bien étrange récompense. Il procure une sensation éphémère, qui ne donne, somme toute, que très peu de plaisir. Elle est fugace, orgasmique ; on l'apprécie sur le coup et puis la voilà déjà envolée. Il est pourtant évident qu'il est plus satisfaisant de se récompenser de ses efforts en s'offrant quelque chose qu'on ne s'achèterait pas habituellement, ou une expérience hors de l'ordinaire. Il faut donc à mon sens repenser de fond en comble cette notion de "récompense".

Mais si, à l'inverse, on n'envisage le contenu de notre assiette que comme un simple "carburant", on lui retire toute notion de plaisir. Il suffit en fait d'avoir un rapport adulte à la nourriture. Nous nous comportons en adulte pour toutes sortes de choses : si nous sommes fatigués, nous nous couchons tôt et nous ne sortons pas cinq soirs par semaine ; si nos cheveux sont secs, nous évitons naturellement de les teindre cinq fois par mois. Nous sommes tout à fait capables de comprendre les conséquences de nos bêtises dans les autres domaines de notre vie, mais dès lors qu'il s'agit de nourriture, nous redevenons bien souvent des enfants.

C'est la même chose avec la boisson. Est-ce que cette bouteille de vin ou ces quatre cocktails vous apporteront vraiment des bénéfices à long terme ? La vraie récompense ne serait-elle pas plutôt de vous réveiller sans gueule de bois et en pleine forme ? »

Contre toute attente, en renonçant au sucre sous ses nombreuses formes, je me suis rendu compte que passé les premières semaines, j'avais rarement l'impression de me priver. Faites l'expérience, vous m'en direz des nouvelles.

À partir du moment où elles ne sont plus bombardées en permanence de produits incroyablement sucrés, nos papilles gustatives s'adaptent. Des aliments qui n'avaient pour moi aucun goût sucré prennent aujourd'hui sous mon palais de nouvelles saveurs – le lait, qui contient, bien entendu, du lactose, un sucre naturel, est le premier exemple qui me vient à l'esprit. J'ai même fini par trouver les patates douces trop sucrées, de même que certaines variétés de courges.

Mais puisque je joue ici cartes sur table, je n'irai pas jusqu'à dire que les sucreries ne me manquent jamais ou qu'il ne me prend pas de temps en temps l'envie de boire huit piñas coladas coup sur coup, juste pour m'amuser. Il m'arrive, bien entendu, de craquer, mais c'est exceptionnel. Ce qui a changé, c'est que je n'en ai plus envie tous les jours, ni même une fois par semaine. En deux ans, je n'ai pas retouché à un seul paquet de Haribo, ni même à une tablette de chocolat. Mais pour être tout à fait honnête – et pour parer l'éventualité qu'un témoin vienne me dénoncer –, j'avoue avoir mangé l'an dernier une demi-douzaine de palets de chocolat à la menthe que mes parents avaient glissés dans mon chausson de Noël. C'était mon péché mignon. Je m'en suis léché les babines.

6ᴱ ÉTAPE : FAITES ÉQUIPE

Connaissez-vous quelqu'un d'autre qui aimerait décrocher du sucre ? Un collègue, votre compagne ou compagnon, votre fils ou votre fille, un voisin, un partenaire de sport ? Il est beaucoup plus facile de relever ce défi à plusieurs.

Rassurez-vous toutefois : si vous êtes seul, cela reste parfaitement possible, j'en suis la preuve. Mais choisissez-vous un mentor, que ce soit moi ou quelqu'un d'autre – on peut également trouver de nombreux soutiens sur Internet pour passer les caps difficiles. J'ai déjà dit à quel point les livres de James Duigan m'ont été utiles. Il existe par ailleurs de nombreux blogs et communautés « sans sucre » en ligne qui partagent conseils, astuces et recettes. Faites vos recherches et enregistrez vos favoris dans vos marque-pages. Voici quelques pistes :

• www.sweetnothingbook.com (en anglais) – C'est mon site. Si vous avez besoin d'aide, d'encouragements ou simplement de quelques suggestions, c'est là que vous pourrez me trouver.
• www.cleanandlean.com (en anglais) – Le site officiel de James et Christiane Duigan. Ils y proposent des recettes, une boutique en ligne et des idées d'exercices.
• www.deliciouslyella.com (en anglais) – Ella est une jeune Londonienne qu'une maladie cardiaque rare avait presque totalement clouée au lit. Celle qui avoue elle-même ne pas y avoir été

autrefois avec le dos de la cuillère à sucre, a un jour décidé de se reprendre en main pour retrouver la santé dans son assiette. Les résultats sont éloquents. Elle propose sur son blog des recettes végétaliennes absolument « délicieuses », comme l'indique le nom de son site. Certaines sont moins compatibles que d'autres avec une alimentation hypoglucidique ; privilégiez celles qui ne comportent pas de sirop d'agave ou d'érable, de miel et autres sucres.

• www.goop.com (en anglais) – Oui, il s'agit bien du site Internet de Gwyneth Paltrow. Je suis très fan de son livre de cuisine *Tout est bon !*[1] , qui m'a été recommandé par mon amie Maya. Une adresse qui permet de faire le plein de recettes pour soigner votre santé.

• Il existe par ailleurs de nombreux blogs culinaires français dans lesquels on trouvera des recettes sans sucre ou à IG bas.

7^E ÉTAPE : SUPPRIMEZ TOUTE TENTATION

J'ai évoqué plus haut le grand nettoyage des placards de cuisine. Je ne pourrais assez souligner à quel point cette étape est primordiale. Dans les premiers temps, vous serez très tenté de vous mettre quelque chose de sucré sous la dent. Vous finirez peut-être par craquer (ou, comme moi, par aller repêcher le cadavre d'une bouteille de sirop dans la poubelle). Ce ne sera pas la fin du monde. Mais vous réduirez considérablement ce risque en prenant les devants et en chassant jusqu'au dernier grain de sucre de votre garde-manger.

Débarrassez-vous des sauces toutes prêtes, des confitures, des marinades et de tous les irrésistibles pots de crèmes glacées qui vous attendent au fond du congélateur. Idem pour les yaourts glacés : même s'ils sont « allégés » en matières grasses, ils contiennent généralement une quantité non négligeable de sucre.

Gardez bien à l'esprit qu'en soi, ce ne sont pas les graisses qui font grossir.

1. Paris, Marabout, 2014.

Défaites-vous aussi de tous les aliments industriels. Inutile de terminer le paquet de gâteaux qui traîne sur la table ou de vous dire qu'une fois que vous aurez fini la boîte de céréales entamée, vous n'en achèterez plus. Mettez immédiatement tout cela à la poubelle. Puis, allez vider votre sac dans la benne à ordures et réjouissez-vous de commencer une nouvelle vie.

Bien sûr, si l'envie est vraiment irrépressible, rien ne dit que vous ne vous précipiterez pas à l'épicerie du coin. Personne n'est à l'abri de ce type de dérapage, mais la démarche demande un peu plus de temps et d'effort. C'est exactement de cela qu'il s'agit : mettre le plus d'obstacles possible entre vous et les tentations, afin de ne pas retomber dans vos mauvaises habitudes puisque, justement, vous n'y trouviez pas votre compte.

8ᴱ ÉTAPE : RÉAPPROVISIONNEZ VOS PLACARDS

Je ne reviendrai pas ici sur les fondamentaux : légumes, salades vertes, viandes maigres bio. Mais comme toutes les rédactrices beauté et santé, j'ai mes produits fétiches, que je vous livre ici pour apporter une petite touche de glamour à votre garde-manger. N'hésitez pas à en faire provision :

L'huile de coco

Naturellement dépourvue de cholestérol, l'huile de coco est bonne pour le cœur et, bien qu'elle titre zéro glucide, elle possède un agréable goût sucré. C'est sans doute la meilleure huile de friture, car elle s'oxyde plus lentement et est donc moins altérée à la cuisson. Certaines recherches ont même signalé qu'elle favoriserait la perte de poids. Pour couronner le tout, elle est succulente.

Elle n'est pas bon marché, mais un petit pot dure longtemps. Achetez-la plutôt en bocal sous sa forme solide brute qu'en bouteille. Vous pourrez non seulement cuisiner avec, mais aussi la consommer crue sur des tartines, en agrémenter les shakes protéinés, en ajouter une cuillerée à la bouillie d'avoine en cours de cuisson (je n'utilise jamais le micro-ondes, car il détruit tous les nutriments), et même en faire des masques pour vos cheveux et votre peau. On en trouve maintenant un peu partout, en épiceries bio comme dans les rayons « produits exotiques » de certaines grandes surfaces.

Les purées d'oléagineux

Que vous optiez pour un beurre de cacahuètes bio (sans sucres ajoutés, s'entend), une purée d'amandes (un peu moins sucrée) ou de graines de sésame – tahin – , de tournesol, de chanvre ou de courge (encore moins riches en glucides), les oléagineux sont une excellente source de bons lipides. Alliées idéales des galettes d'avoine, ces pâtes à tartiner vous permettront de diversifier vos menus du matin et vos collations.

Les flocons d'avoine, de millet et de quinoa, le gruau de sarrasin (kacha)

Oubliez le blé et laissez-vous surprendre par ces autres céréales, dont vous vous régalerez en bouillies chaudes ou froides ou en pancakes hyperprotéinés (voir la recette p. 140).

Les yaourts entiers

Dites adieu aux produits allégés.

Les laits végétaux

Essayez le lait d'amande, vous m'en direz des nouvelles ! Mélangés aux flocons d'avoine ou à une boisson protéinée, les laits végétaux vous aideront à consommer moins de produits laitiers. Veillez à choisir les versions non sucrées ou faites votre lait maison. Je me suis récemment concocté un lait de noix de cajou à la cannelle : un régal.

Les protéines végétales en poudre

Ne craignez rien, une petite dose de ces poudres hyperprotidiques après une séance de gym ne vous donnera pas une musculation de culturiste. Des protéines végétales de très bonne qualité aident au contraire à réparer les muscles après l'effort et à créer de la masse musculaire maigre – celle-là même qui sculptera votre nouvelle silhouette. Des nombreuses marques que j'ai testées, la poudre Excellence à la vanille de Bodyism est ma préférée : elle ne contient aucun sucre ajouté, possède un IG bas et convient aux végétaliens. À près de 65 euros les 500 grammes, il est vrai que ce n'est pas donné. Mais puisque vous n'en utiliserez que de très petites quantités, le sachet vous fera plusieurs mois. Vous pourrez la commander sur les sites de Bodyism et d'autres boutiques en ligne.

Les fruits à coque

Enfin de quoi redécouvrir le plaisir du grignotage en se faisant du bien ! Riches en protéines et en bonnes graisses, noix, amandes, noisettes, cajou et autres fruits à coque n'ont pas leur pareil pour caler une petite faim et stabiliser la glycémie. Délicieux dans les salades et bien d'autres plats, ils sont un véritable atout santé… à petite dose. Ils sont en effet bien souvent très caloriques : contentez-vous d'une poignée de temps en temps. La noix de macadamia, en particulier, est très riche en lipides. Je parle, bien entendu, des fruits à coque nature, et non des pralines enrobées de caramel croustillant ou des amuse-gueule salés ou épicés – désolée de vous donner une fausse joie ! Évitez également autant que possible de les consommer grillés, car ils perdent leurs nutriments au chauffage.

L'avocat

Pour démarrer la journée du bon pied ou pour le goûter, pensez au demi-avocat sur quelques galettes d'avoine. La préparation peut certes paraître fastidieuse. Ceux qu'on nous vend comme « parfaitement mûrs » ne le sont jamais vraiment, puis il faut les couper en deux et ils se débrouillent toujours pour vous glisser des mains. On doit ensuite retirer le noyau, émincer la chair, l'emballer de film alimentaire pour éviter qu'elle ne brunisse… Mais pensez à votre future silhouette, à vos cheveux, vos ongles et votre peau devenus magnifiques, à votre santé et votre énergie retrouvées. Tout cela vaut bien quelques efforts, non ? N'attendez plus pour faire le plein de ces petites merveilles.

Le saumon fumé

Cette source de protéines maigres est plutôt onéreuse, mais une ou deux fines tranches suffisent à égayer un repas. Œufs brouillés, ou saumon fumé et œufs brouillés ? Il n'y a pas photo... Optez pour du saumon bio, à la chair d'un rose moins vif.

Les œufs

Véritable don de la nature, l'œuf est « l'aliment parfait » : source de protéines rapidement assimilées, il apporte les acides aminés essentiels (ceux que l'organisme ne peut pas produire), ainsi que des vitamines, A, E, K, B2 et B12. Privilégiez les œufs bio de poules élevées en plein air. Des études ont en effet montré qu'ils contiennent jusqu'à 20 fois plus d'oméga-3 que ceux issus de l'élevage en batterie.

Le pumpernickel

Si la miche classique à base de farine de blé vous manque, ce pain de seigle compact à la mie sombre pourra avantageusement la remplacer. Riche en fibres, le pumpernickel ne contient en outre que peu de lipides et de cholestérol. N'en faites pas pour autant une consommation quotidienne, mais tartiné d'avocat écrasé, c'est un grand must du brunch dominical.

Les légumes verts

Ils aident l'organisme à reconstituer ses stocks de vitamines et de minéraux en période de stress.

La dinde

Cette viande blanche est une bonne source de L-tryptophane, un acide aminé essentiel que le cerveau utilise pour secréter de la sérotonine, neurotransmetteur qui favorise le calme, surnommé « l'hormone du bonheur ».

La feta et les fromages de chèvre

Agrémentez-en vos salades et vos omelettes pour varier les plaisirs.

Le maquereau

James Duigan présente dans l'un de ses livres une merveilleuse recette de kedgeree de maquereau au riz complet. C'est devenu l'un des incontournables de mes petits déjeuners (je me suis découvert des goûts scandinaves !) ; j'aime aussi en émietter sur une salade d'épinards, de petits pois, de concombre et autres aliments piochés au gré de mon humeur.

Le hoummous

Riche en protéines et en lipides, cette purée de pois chiches à l'ail aussi saine que nourrissante est idéale pour les petits creux, au bureau comme à la maison.

Le kale (ou chou plume)

Cette très ancienne variété de chou frisé refait depuis peu son apparition sur les étals des maraîchers, dans les enseignes bio et parfois même en supermarché. Légèrement amer, ce « super-aliment » se marie avec autant de bonheur aux shakes protéinés qu'au quinoa ; au petit déjeuner, il accompagne très bien un œuf poché ; et en le passant sous le gril du four, on en fait des chips croustillantes à grignoter à toute heure de la journée.

Les graines

Entières ou moulues, les graines de tournesol, de sésame, de lin ou de courge donneront du peps à vos salades et à vos soupes. Petits condensés de bonheur riches en protéines, elles constituent aussi un excellent en-cas. Grillées au four avec des herbes et des épices, elles n'en seront que plus attrayantes.

Les pois chiches

Les pois chiches s'accommodent de bien des façons – à commencer par le hoummous, très facile à préparer soi-même. Ils remplacent avantageusement le traditionnel accompagnement de pommes de terre au four du poulet farci. Mélangés à la farce, ils imprègnent délicieusement la viande pendant la cuisson. Choisissez de préférence un poulet bio élevé en plein air. Vous trouverez en ligne diverses recettes de poulet à l'orientale dont vous pourrez vous inspirer, en omettant, bien entendu, la semoule de blé (IG élevé !) et en improvisant de succulents mélanges d'épices.

Les sachets de tisanes

Trouvez une marque qui vous plaît – j'ai un faible pour les tisanes bio ayurvédiques Pukka – et remplacez le café au lait de l'après-midi par une bonne tasse d'infusion.

Le riz complet

Sa consistance plus ferme peut légèrement dérouter au début et il demande un peu plus d'organisation en cuisine, certaines variétés nécessitant jusqu'à 40 minutes de cuisson. Ne vous laissez pas décourager pour autant, car avec sa haute teneur en fibres et son IG bas, le riz complet a de nombreux atouts. Substituez-le au riz blanc et vous verrez la différence sur votre silhouette.

Les huiles d'olive

Je veille toujours à en avoir toute une gamme dans mes placards, de la simple huile d'olive fruitée et corsée à une version plus douce et suave, en passant par des variantes aromatisées aux piments, à l'ail ou au basilic. Procurez-vous des huiles de la meilleure qualité possible et conservez-les et consommez-les à température ambiante. Vous en ferez des marinades et des assaisonnements de salades maison, bien plus sains et savoureux que les préparations industrielles souvent enrichies en sucres.

La cannelle

Des recherches ont montré qu'il suffit d'une demi-cuillerée à café de cannelle par jour pour réduire la glycémie, diminuer la résistance à l'insuline et tempérer les fringales sucrées. Outre ces exceptionnels atouts anti-sucre, cette épice posséderait de nombreuses autres vertus : elle apaiserait les douleurs menstruelles, soulagerait l'encombrement nasal et faciliterait la digestion. Mélangée à votre café crème ou saupoudrée sur votre yaourt ou vos flocons d'avoine, elle ravira vos papilles. Personnellement, je ne peux plus m'en passer !

Au lieu de vous focaliser sur ce que vous ne pouvez pas manger dans le cadre d'une alimentation pauvre en sucre, concentrez-vous plutôt sur toutes les possibilités qui s'offrent à vous.

« Puisque l'organisme métabolise très facilement les glucides en sucre, indique Ian Marber, manger "sans sucre" revient en fait à adopter une alimentation hypoglucidique mais aussi riche en protéines (maigres) et en (bons) lipides. »

9ᴱ ÉTAPE : DÉCRYPTEZ LES ÉTIQUETTES

Les ingrédients étant énumérés par ordre décroissant de poids, les nutritionnistes s'accordent à dire qu'il faudrait éviter tout aliment dans lequel le sucre apparaît dans le trio de tête.

Souvenez-vous que les sucres se cachent sous de nombreuses appellations. La grande majorité des ingrédients finissant en « – ose » sont des sucres plus ou moins transformés. Nous les avons passés en revue dans les chapitres précédents, mais il n'est pas inutile de rappeler qu'il faut particulièrement se méfier du fructose ajouté qui, une fois ingéré, est directement dirigé vers le foie. Tout ce qui est sirop, jus de canne, mélasse, dextrine, pulpe de jus de fruits ou concentré de jus de fruits constitue également des sucres cachés.

Soyez d'autant plus vigilant que le sucre est également présent dans des produits industriels qui n'ont pas forcément un goût sucré : sauces, saumon en boîte, certaines marques de poissons panés, certains bouillons en tablettes... La liste est presque inépuisable.

Les produits réputés « sains », et estampillés de diverses allégations nutritionnelles (« allégé », « 0 % de matières grasses », « sans additifs ni colorant artificiel », etc.), ne sont pas nécessairement dépourvus de sucre. À prendre avec précaution, donc !

L'endocrinologue américain Robert Lustig, grand pourfendeur du « poison blanc », nous met en garde : « L'industrie agroalimentaire a contaminé ses produits en leur ajoutant des sucres afin d'augmenter ses ventes et d'accroître ses profits. Aux États-Unis, sur 600 000 produits vendus en magasin, 80 % contiennent des sucres ajoutés ; on retrouve sur les étiquettes 56 appellations différentes pour désigner le sucre. Les groupes industriels savent que le consommateur est plus sensible à la saveur sucrée, et ils ne se privent donc pas de forcer la dose. Mais comme peu de gens repèrent ces sucres, ils ne savent pas vraiment ce qu'ils achètent et continuent d'en acheter à qui mieux mieux. »

Ne tombez pas non plus dans les pièges du marketing : « Ce n'est pas parce qu'un aliment est bio, par exemple, qu'il est nécessairement bon pour votre santé, souligne Ian Marber. Bio ou pas, la pizza et le chocolat restent bourrés de sucres ajoutés et ont toujours un IG élevé. Votre pancréas ne fera pas la différence et l'absence de pesticide, fort louable en soi, ne changera rien à la réponse insulinique. »

10ᴱ ÉTAPE : APPRENEZ À GÉRER VOS PULSIONS SUCRÉES

Un coup de stress, un souvenir pénible, une mauvaise journée, un gamin qui vous nargue avec son pain au chocolat ou simplement l'habitude : autant de situations qui favorisent les envies de grignotage. Il faut donc garder à l'esprit qu'il est possible de les surmonter. Avec le temps et des choix alimentaires plus judicieux, vous parviendrez bientôt à vous défaire de ce réflexe.

Lee Mullins voit passer dans la salle de sport de Bodyism de nombreux clients qui essaient de faire taire en eux le démon du sucre. Je lui ai demandé comment il les aidait à décrocher. « S'ils ont envie de sucré, c'est souvent parce qu'il s'est passé quelque chose dans les heures qui ont précédé, affirme-t-il. Le sommeil est souvent en cause. Si l'on dort mal et que l'on commence sa journée par un petit déjeuner sucré pour se donner de l'énergie – des céréales ou des tartines de confiture avec un jus de fruits, par exemple –, le coup de pompe de 16 heures est pratiquement assuré. On aura alors envie de grignoter du sucré – un carré de chocolat ou une barre chocolatée – ou de se doper avec quelque chose de fort – un double cappuccino, par exemple. Inutile d'essayer d'endiguer l'envie elle-même, il faut s'attaquer en premier lieu à la racine du mal. Lorsqu'on dort mieux, on constate souvent qu'on fonctionne mieux sur le plan neurologique. On se réveille plein d'énergie et cela se ressent sur la qualité du petit déjeuner choisi. C'est là que se joue le reste de la journée. Si vous dormez bien, mais ressentez toujours ces pulsions sucrées, il faut continuer à creuser du côté du petit déjeuner. Le grand bol de céréales sucrées est une hérésie. Commencez par changer cette mauvaise habitude et vous aurez déjà résolu une bonne partie du problème. Aider une personne à mieux dormir et lui conseiller les bons aliments qui constituent un petit déjeuner sain peut vraiment lui changer la vie. »

Ian Marber partage cet avis : « Une fois passé la première étape de sevrage, la plupart des fringales sucrées trouvent d'après moi leur origine dans une erreur alimentaire. Un déjeuner trop riche en glucides à assimilation rapide, par exemple, suffit à déséquilibrer le taux de glucose sanguin. En clair, les envies de sucre sont souvent révélatrices d'une glycémie perturbée. Maintenez votre taux de glucose stable et vous réduirez significativement ces fringales. »

Surveillez donc la composition de chaque repas et n'attendez pas d'avoir trop faim pour manger. Prévoyez toujours d'avoir sous la main quelques fruits à coque ou des galettes d'avoine pour vous caler si besoin.

Mis à part augmenter ses apports en protéines et en bonnes graisses, que pouvons-nous faire pour limiter les grignotages compulsifs ? Étant passée par là, j'ai demandé à la diététicienne Holly Pannett, qui est également mon coach personnel, s'il existait d'autres catégories d'aliments efficaces.

« La cannelle est connue pour son effet coupe-faim, car elle contribue à stabiliser la glycémie. Essayez d'en saupoudrer vos plats et votre café autant que possible. Il faut toutefois en consommer une assez grande quantité pour en percevoir les bénéfices – au moins une cuillerée à café, ce qui, pour certains, peut devenir écœurant. À défaut, je recommande à mes clients un complément alimentaire multivitaminé contenant du magnésium, du chrome et de la cannelle.

Vous contrôlerez également votre glycémie en intégrant à votre alimentation davantage de produits riches en chrome : œufs, céréales complètes, fruits à coque, champignons, asperges et abats, tels que le foie ou les rognons de veau – qui n'ont malheureusement plus beaucoup la faveur des consommateurs.

Le magnésium est également un précieux oligo-élément. Le stress en épuise nos ressources et sa carence entraîne anxiété, nervosité et agitation. Il a été démontré qu'un régime riche en magnésium réduisait les envies de chocolat. Si vous vous reconnaissez en partie dans ces symptômes, essayez de manger davantage de légumes verts ; les brocolis, de même que les épinards, constituent d'excellentes sources de magnésium. Pensez également aux légumineuses (pois, haricots, etc.), aux figues et aux céréales brutes telles que le riz complet. »

Anna King, directrice du cabinet diététique londonien Avocado Nutrition, m'a à son tour livré une petite astuce pratique pour booster les réserves de magnésium : « L'un des produits les plus efficaces pour augmenter ses stocks est le sulfate de magnésium, également appelé sel d'Epsom. Le magnésium étant bien absorbé par la peau, versez-en une tasse dans un bon bain chaud avant d'aller vous coucher et laissez agir vingt minutes. Vous en sortirez tellement détendue que vous dormirez comme un bébé. »

11ᴱ ÉTAPE : DÉFINISSEZ VOS BESOINS EN SUCRE

Délicate question quand on sait que même les nutritionnistes les plus qualifiés peinent à donner une recommandation générale quant à la quantité de sucre qu'un individu devrait absorber – cela dépend de la personne, de son mode de vie et de son métabolisme propre.

Je l'ai déjà dit au début de ce livre, mais je crois qu'il n'est pas inutile de le rappeler ici : l'OMS estime que les sucres devraient représenter moins de 10 % de nos apports énergétiques quotidiens, soit, avec les réserves d'usage, 50 grammes par jour pour les femmes et 70 pour les hommes – ce qui, rapporté en morceaux de sucre, fait déjà une belle dose ! De nombreux chercheurs recommandent cependant de réduire significativement ces valeurs, voire de les diviser par deux, ce qui nous porterait à un maximum d'environ 5 morceaux de sucre par jour pour les femmes et 7 pour les hommes.

Or, l'enquête nationale INCA 2006-2007 a révélé que la consommation moyenne des Français avoisine les 700 grammes hebdomadaires, soit pas moins de 140 morceaux de sucre !

Ces statistiques sont sans appel : nous sommes devenus complètement accros aux sucres ajoutés. Paradoxalement, les ventes de sucre de table – le sucre « visible », que nous ajoutons sciemment à nos aliments – ont dégringolé. Cherchez l'erreur... Cet excès de sucre vient de la grande majorité des aliments tout prêts que nous achetons.

« Préconiser une réduction de la consommation de sucre est une question de bon sens, estime Ian Marber. Personnellement, je veille à en limiter mes apports. Je ne bois pas d'alcool et ne mange que rarement des fruits. Il m'arrive à la rigueur d'acheter des fruits à IG bas comme les myrtilles. Ce qui est essentiel avec le sucre, c'est la façon dont on le mange, autrement dit, ce à quoi on l'associe. »

Si vous choisissez de réduire le sucre plutôt que de lui livrer une guerre impitoyable, Ian Marber conseille quelques associations d'aliments propres à limiter les dégâts et les pics de glycémie.

« Évitez les sucres ajoutés, et veillez à ne manger d'aliments naturellement sucrés qu'une fois par jour en complément d'une alimentation équilibrée, c'est-à-dire avec un repas composé de protéines et de lipides pour réguler votre taux de glucose. Le sucre est ainsi mieux toléré par l'organisme. On considère trop souvent les aliments de façon isolée, or ça n'a pas vraiment de sens puisque nous les consommons rarement seuls. C'est le cas des boissons sucrées dont on connaît les effets néfastes : elles ne contiennent aucune protéine ni aucun lipide et passent donc directement dans le sang. La combinaison la plus désastreuse serait d'associer à la fois trop de sucre, trop de graisses et trop de glucides. »

Vous l'aurez compris : pas touche au gâteau au chocolat !

12ᴱ ÉTAPE : PROGRESSEZ PAS À PAS

S'il vous semble insurmontable d'arrêter totalement le sucre du jour au lendemain, allez-y progressivement. Commencez par éliminer de votre alimentation tous les sucres ajoutés – plats préparés, produits transformés comme les biscuits et les gâteaux, barres de céréales, sodas et tous les plats à emporter. Rien qu'en supprimant ces points noirs de votre régime, vous sentirez un réel effet sur votre bien-être et votre santé.

Il serait également judicieux d'écarter assez vite les aliments « sans sucre » ou « à teneur réduite en sucre » comportant des édulcorants artificiels. Ils sont totalement contre-productifs, puisqu'ils ne font que stimuler votre appétit pour le sucré.

Une fois que vous aurez franchi ces premières étapes, essayez de restreindre votre consommation de miel, de sirop d'agave et de tout autre ersatz de sucre – à l'exception de la stévia. Si vous avez l'habitude de sucrer votre thé ou votre café, réduisez progressivement la dose de sucre jusqu'à ne plus en ajouter du tout. Dans vos flocons d'avoine ou vos yaourts, remplacez le sucre par de la cannelle, des baies et des fruits à coque.

Il sera ensuite temps de vous séparer des aliments à IG élevé. Le pain, les pâtes, le riz blanc et autres indésirables n'ont pas leur place dans votre nouveau régime sain. Ils ne vous apportent de toute façon pas grand-chose pour vous aider à affronter la journée.

Enfin, diminuez petit à petit votre consommation de fruits. Rien ne vous oblige à le faire de façon draconienne. Vous pouvez vous y prendre sur plusieurs semaines s'il le faut. L'important est que vous réappreniez à voir les fruits comme un plaisir exceptionnel et non comme un en-cas des plus sains que vous pourriez consommer à volonté. Troquez les fruits pour des légumes et votre corps vous en sera reconnaissant.

Chapitre 6

CARNET DE RECETTES PAUVRES EN SUCRE

Maintenant que vous connaissez les aliments à éviter, vous êtes sans doute pressé de savoir ce que vous allez bien pouvoir manger. Soyez rassuré, le choix est extrêmement vaste et varié. Vous n'aurez absolument pas l'impression de vous priver. En réalité, la plupart des plats que vous préparez vous-même ne contiennent que peu de sucre (à l'exception des desserts, bien entendu). Un repas composé de poisson, de poulet ou de steak accompagné de légumes, de salade ou de riz complet convient parfaitement à votre nouveau régime. Lâchez-vous, testez de nouvelles saveurs, préparez-vous en un tour de main de savoureuses soupes et salades composées avec de bons produits frais. Il existe tout un tas de livres de cuisine diététique, tant même qu'il est parfois difficile de s'y retrouver. Comme vous le savez, au début de cette aventure, je me sentais cruellement en manque d'inspiration. Ma diététicienne Holly Pannett a été ma bouée de secours en partageant avec moi certaines de ses recettes et astuces, qui m'ont permis de continuer à me faire plaisir tout en prenant soin de ma santé. Même si je manque de temps pour cuisiner et me contente bien souvent d'un simple repas de poisson, riz complet et légumes, j'aime aussi réaliser les recettes que je vous propose ici lorsque j'ai de la compagnie ou que j'ai envie de quelque chose d'un peu plus élaboré. Nous les avons toutes sélectionnées parmi les coups de cœur de Holly. Elles sont faciles, délicieuses et 100 % saines.

PETIT DÉJEUNER

Bouillie de sarrasin et de graines de chia (pour 1 personne)

Le petit déjeuner est le repas avec lequel j'ai eu le plus de mal à trouver mes marques. Pour la plupart d'entre nous, il n'est pas facile de trouver le temps de faire des œufs brouillés ou un bon kedgeree avant de partir au travail. Cette bouillie de sarrasin et de graines de chia vous épargnera tous ces tracas matinaux. Préparez-la la veille, et le lendemain vous n'aurez qu'à l'égoutter et mélanger les ingrédients pour obtenir un petit déjeuner sain et nourrissant en quelques minutes.

40 g de gruau de sarrasin (*en magasins bio*)
2 cuil. à soupe de graines de chia
180 ml de lait d'amande non sucré
1 petite poignée de framboises ou de myrtilles
1 grosse pincée de cannelle en poudre

• La veille au soir, placez le sarrasin cru dans un saladier, couvrez d'eau et laissez tremper toute la nuit. Préparez-le à part, car une fois imbibé d'eau, il prend une consistance légèrement visqueuse.
• Dans un autre récipient, mélangez les graines de chia, le lait d'amande, les baies et la cannelle jusqu'à ce que le mélange soit homogène. Réservez au réfrigérateur toute la nuit.
• Le matin, égouttez le sarrasin et rincez-le abondamment pour éliminer le film visqueux. Incorporez-le à la préparation aux graines de chia. Mélangez bien.
• Servez cette bouillie dans un verre, en ajoutant éventuellement quelques baies fraîches.

Pancakes protéinés (pour 4 personnes)

La préparation de ces pancakes est un jeu d'enfant. Selon que vous les aimez plus ou moins épais, vous aurez peut-être à tâtonner un peu avec les ingrédients pour obtenir la consistance voulue. Ils se conservent sans problème plusieurs jours au réfrigérateur. En les préparant le dimanche, vous aurez ainsi de quoi petit déjeuner sainement jusqu'au mercredi.

30 g de flocons d'avoine
230 g de cottage cheese

4 œufs
1 cuil. à café d'huile de noix de coco
2 cuil. à café de cannelle en poudre
un peu de lait d'amande non sucré
1 yaourt non allégé, noix de coco râpée, quelques baies ou
amandes effilées grillées (*facultatif*)

• Placez tous les ingrédients dans le bol d'un mixeur et faites tourner jusqu'à obtenir une pâte fluide et sans grumeaux. Si la consistance est trop épaisse, ajoutez un peu de lait d'amande.

• Faites chauffer une poêle antiadhésive à feu moyen et versez-y une louche de pâte. (Vous ne devriez pas avoir à graisser la poêle puisque le mélange contient déjà de l'huile, mais au besoin, étalez une larme d'huile de noix de coco en veillant à ne pas faire frire la pâte.) Dès que le pancake commence à dorer, retournez-le pour cuire l'autre face et servez aussitôt.

• Je les trouve très bons tels quels, mais vous pouvez les accompagner d'une cuillerée de yaourt non allégé, de quelques baies, de noix de coco râpée ou d'une poignée d'amandes effilées grillées.

Note : Si vous préparez la pâte à l'avance, conservez-la au réfrigérateur dans un récipient hermétique. Vous aurez peut-être alors besoin de la fluidifier avant la cuisson avec un peu de lait d'amande.

Porridge au lait de coco (pour 1 personne)

J'adore le porridge ! Nourrissant et rassasiant, il est idéal pour démarrer la journée du bon pied. Il a en outre l'avantage d'être extrêmement facile à réaliser. Comme pour les pancakes, vous aurez peut-être simplement à ajuster les quantités pour trouver la consistance qui vous convient. La noix de coco, riche en vitamines, minéraux et fibres, est l'un des aliments les plus nutritifs qui soient. Ainsi associés, ils forment donc un duo de choc des plus alléchants !

40 g de flocons d'avoine
160 ml d'eau
1 cuil. à soupe de graines de lin moulues
6 cuil. à soupe de lait de coco

1 cuil. à soupe d'huile de noix de coco

un peu de noix de coco râpée grillée ou quelques myrtilles
(*facultatif*)

• Dans une poêle, faites chauffer à feu doux les flocons d'avoine, l'eau, les graines de lin moulues et le lait de coco pendant 6 à 8 minutes, jusqu'à ébullition.

• Hors du feu, ajoutez l'huile de noix de coco et mélangez.

• Servez tel quel ou avec quelques myrtilles ou pincées de noix de coco grillée, selon votre goût.

Salade de kale, quinoa, pesto et œufs (pour 1 personne)

Vous pensez que vos festins de croissants et tartines de confiture à n'en plus finir vous manqueront le week-end? Attendez d'avoir goûté cette délicieuse salade. Le quinoa est une céréale riche en protéines dont la préparation est simple comme bonjour : il suffit de le faire bouillir quelques minutes en suivant les instructions de l'emballage. On en trouve maintenant dans presque toutes les grandes surfaces, aux rayons bio ou céréales et légumes secs.

180 g de quinoa (*n'importe quelle variété*)

100 g de kale ou chou plume haché en lanières

2 œufs

huile d'olive au basilic

1/4 d'avocat, découpé en morceaux

pesto (*facultatif*)

• Préparez le quinoa selon les instructions de l'emballage.

• Pendant ce temps, faites cuire le chou à la vapeur ou à l'eau et réservez dans un grand saladier.

• Faites cuire les œufs dans une eau frémissante (4 minutes pour un œuf mollet, 6 à 8 minutes pour un œuf dur).

• Lorsque le quinoa est cuit, mettez-le dans le saladier avec le chou et incorporez le quart d'avocat en mélangeant pour lui donner une consistance légèrement crémeuse. Arrosez d'un filet d'huile d'olive au basilic. Servez dans un grand bol et ajoutez les œufs. Vous pouvez également déposer une cuillerée de pesto sur le dessus. Un régal…

DÉJEUNER

Super-salade M & M (magnésium et manganèse) de brocoli et de quinoa (pour 4 personnes)

Le magnésium et le manganèse facilitent le transport de l'insuline à travers les membranes cellulaires et augmentent la glycémie. Lorsqu'elle est basse, cette dernière a tendance à provoquer nos grignotages compulsifs. On comprend donc tout l'intérêt d'inclure ces deux oligo-éléments le plus souvent possible dans son alimentation. Cette recette est à la fois nourrissante et savoureuse, idéale pour un déjeuner dominical substantiel.

180 g de quinoa
1 citron
1 tête de brocoli
1 cuil. à soupe d'huile d'olive
6 anchois
2 gousses d'ail écrasées
30 g de graines de courge
sel et poivre noir fraîchement moulu

• Faites cuire le quinoa dans deux fois son volume d'eau bouillante, avec le jus du citron et une pincée de sel, pendant 15 minutes.
• Pendant ce temps, détaillez le brocoli en petits bouquets. Faites-les cuire à la vapeur et réservez.
• Dans une poêle, faites chauffer l'huile à feu moyen. Ajoutez les anchois et laissez cuire jusqu'à ce qu'ils fondent.
• Ajoutez l'ail écrasé et remuez hors du feu pendant quelques secondes. Ne le laissez pas brunir, il prendrait un goût amer.
• Ajoutez les bouquets de brocoli et faites-les revenir dans l'huile parfumée jusqu'à ce qu'ils soient bien enrobés. Ils vont absorber tout le liquide.
• Ajoutez le quinoa et les graines de courge. Salez, poivrez et servez aussitôt.

Salade de poulet grillé et lentilles vertes du Puy
(pour 4 personnes)

Lentilles et poulet se marient à la perfection dans cette salade hyper-protéinée. Vous pourrez emporter les restes au travail le lendemain pour votre repas du midi.

250 g de lentilles vertes du Puy précuites (*ou de lentilles sèches que vous préparerez suivant les indications de l'emballage*)
4 blancs de poulet bio
2 cuil. à soupe d'oignon rouge émincé
1 petit bouquet de coriandre fraîche ciselée
2 cuil. à soupe d'huile d'olive
150 g de mozzarella coupée en dés
125 g de fines tranches de jambon cru découpées en lamelles

• Dans une poêle, faites chauffer les lentilles dans 2 cuillerées à soupe d'eau pendant 4 minutes. Faites cuire les blancs de poulet sous le gril du four préchauffé.

• Pendant ce temps, mélangez l'oignon rouge émincé, la coriandre et l'huile d'olive dans un plat, puis ajoutez les lentilles et mélangez doucement.

• Avant de servir, parsemez de dés de mozzarella et de lamelles de jambon cru.

Soupe de brocoli, chou-fleur et poireau
(pour 5 personnes)

Cette soupe est encore plus gourmande avec un peu de yaourt nature et un soupçon de poivre noir concassé.

2 poireaux
1 cuil. à soupe d'huile
1 tête de brocoli
1 tête de chou-fleur
3 gousses d'ail écrasées
1 morceau de gingembre de 2,5 cm pelé et coupé en julienne
2 tablettes de bouillon de légumes

• Lavez les poireaux et ôtez les extrémités. Coupez-les en quatre dans la longueur, puis détaillez-les tronçons de 1 cm.

• Faites chauffer l'huile dans une grande casserole à feu moyen. Ajoutez les poireaux et laissez cuire pendant 8 minutes jusqu'à ce qu'ils ramollissent, sans les faire brunir.

• Pendant ce temps, détaillez le brocoli et le chou-fleur en petits bouquets et faites-les cuire à la vapeur 5 à 8 minutes jusqu'à ce qu'ils soient parfaitement tendres.

• Ajoutez l'ail et le gingembre dans la casserole et poursuivez la cuisson pendant 3 minutes.

• Délayez les tablettes de bouillon dans 70 cl d'eau à ébullition.

• Mixez le brocoli et le chou-fleur avec les poireaux et un tiers du bouillon. Versez le reste du bouillon au fur et à mesure jusqu'à obtenir la consistance désirée.

EN-CAS

Chips croustillantes de kale aux épices

Les chips de kale (ou chou plume) sont devenues très « tendance » dans le monde anglo-saxon. Elles ont même fait leur apparition dans les rayons des magasins, et on commence à en trouver en France. Il faut dire qu'avec ses exceptionnelles qualités nutritionnelles et son coût relativement bas, ce légume-feuille a le vent en poupe. Rien de tel que ces chips craquantes, aussi faciles que savoureuses, pour caler un petit creux.

quelques feuilles de kale ou chou plume (*autant que votre plaque de cuisson peut en contenir – les feuilles doivent être étalées en une seule couche*)
1 grosse tomate
3 tomates séchées
1 cuil. à café d'huile d'olive
1 gousse d'ail écrasée
½ cuil. à café de paprika
½ cuil. à café de cumin en poudre
sel et poivre noir fraîchement moulu

• Préchauffez le four à 180 °C (th. 6) avec sa plaque de cuisson. Rincez les feuilles de chou et séchez-les soigneusement – l'humidité empêcherait qu'elles ne deviennent croustillantes. Retirez-en les côtes. Placez les feuilles dans un grand saladier ; privilégiez les plus grandes, qui ne durciront pas trop vite à la cuisson, et assurez-vous qu'elles aient toutes à peu près la même taille.

• Mixez la tomate, les tomates séchées, l'huile d'olive et l'ail jusqu'à obtenir une pâte onctueuse. Ajoutez le paprika et le cumin. Salez et poivrez, et mixez à nouveau.

• Trempez les feuilles de kale dans la préparation. Secouez-les pour retirer l'excédent. Elles doivent être enrobées d'une fine couche homogène qui leur donnera une agréable saveur.

• Répartissez les feuilles sur la plaque de cuisson chaude en une seule couche et enfournez en position haute. Laissez la porte du four légèrement entrebâillée et faites dorer pendant 20 minutes en retournant à mi-cuisson. Les chips sont prêtes lorsqu'elles sont croquantes. Surveillez la cuisson, car la durée peut varier d'un four à l'autre. Veillez à ce que les feuilles ne noircissent pas : elles prendront leur consistance définitive en refroidissant.

Bouchées coup de fouet (pour 12 à 15 portions selon leur taille)

Ces petites boules sont un vrai concentré d'énergie et vous requinqueront après une séance de sport ou en cas de fatigue. Elles sont toutefois assez riches, il serait donc sage de vous limiter à une par jour. Les quantités données ici vous permettront d'en préparer une bonne douzaine, de quoi être généreux et régaler votre entourage !

> 70 g d'un mélange d'amandes, de noix et de noix du Brésil ou 70 g d'amandes seules
> 80 g de figues sèches (*de préférence la variété la plus molle*)
> 1 cuil. à café d'huile de noix de coco fondue (*pour éviter que la pâte ne colle à vos doigts*)
> 1 cuil. à café d'extrait de vanille
> 2 cuil. à soupe de graines de chanvre écorcées (*chènevis*)
> 3 cuil. à soupe de noix de coco râpée pour l'enrobage

• Dans un premier temps, mixez finement les noix et les amandes.

• Ajoutez les figues et mixez le tout jusqu'à obtenir une pâte onctueuse. Versez l'huile de noix de coco fondue et l'extrait de vanille liquide et mixez à nouveau.

• Déposez le mélange sur le plan de travail et incorporez-y les graines de chanvre en malaxant. Formez de petites boules avec la paume des mains et roulez-les dans la noix de coco râpée (ou d'autres graines de chanvre).
• Faites-les prendre au congélateur pendant 20 minutes. Conservez les bouchées au réfrigérateur dans un récipient hermétique et consommez dans les jours qui suivent.

Barres protéinées à la patate douce (pour environ 10 portions)

Il n'est plus rare aujourd'hui d'utiliser la patate douce en pâtisserie – j'ai une amie qui en fait de délicieux brownies –, mais ces barres protéinées sont l'un de mes péchés mignons favoris. Vous pourrez les transporter facilement et donc les consommer en route ou au retour de votre séance de sport – beaucoup plus pratique donc que d'essayer de manger du blanc de poulet ou de se faire un mélange protéiné quand on n'est pas chez soi !

huile de noix de coco
1 petite patate douce, épluchée et découpée en gros morceaux
2 mesures de poudre protéinée (*j'ai une préférence pour l'Excellence à la vanille de Bodyism, mais n'importe quel produit de bonne qualité fera l'affaire*)
2 cuil. à soupe bien pleines de purée d'amandes (*absorbez l'éventuel excès d'huile avec du papier absorbant*)
1 cuil. à soupe de cannelle en poudre
8 abricots secs coupés en morceaux
8 cuil. à soupe de gruau de sarrasin (*kacha*)

• Graissez d'huile de noix de coco un petit plat peu profond allant au four.
• Dans une casserole, portez de l'eau à ébullition et plongez-y les morceaux de patate douce. Laissez cuire une quinzaine de minutes jusqu'à ce que la lame d'un couteau pénètre facilement dans la chair. Égouttez et laissez refroidir, puis mixez pour réduire en une purée grossière.
• Dans un saladier, mélangez la poudre protéinée, la purée d'amandes, la patate douce et la cannelle. Incorporez ensuite les

morceaux d'abricots secs et la kacha. Versez la préparation dans le plat huilé.

• Placez le plat au congélateur et laissez prendre pendant 1 heure. Découpez en barres, que vous pourrez conserver 3 à 4 jours.

DÎNER

Saag ou curry d'épinards (pour 6 personnes, en accompagnement)

Rien ne vaut parfois un bon curry, mais, nous l'avons vu, les plats à emporter sont bien souvent saturés de mauvaises graisses, de sel et d'autres cochonneries. Pas de panique, grâce à cette recette vous allez pouvoir vous mitonner vous-même un succulent saag (curry d'épinards) et faire le plein de vitamines sans même vous en apercevoir.

500 g d'épinards frais
1 cuil. à soupe de beurre
6 gousses d'ail émincées
1 oignon finement émincé
½ tomate émincée
200 ml de lait d'amande non sucré
½ cuil. à café de sel
¼ de cuil. à café de garam masala
¼ de cuil. à café de coriandre en poudre
¼ de cuil. à café de cumin en poudre
¼ de cuil. à café de curcuma
1 petite poignée de coriandre fraîche ciselée

• Faites cuire les épinards à la vapeur pendant 15 minutes, puis passez-les au mixeur.

• Dans une poêle, faites fondre le beurre pendant 30 secondes à feu moyen. Jetez-y l'ail et faites-le revenir jusqu'à ce qu'il soit tendre. Ajoutez l'oignon et poursuivez la cuisson 2 minutes. Ajoutez les épinards mixés, la demi-tomate et le lait d'amande.

• Salez, ajoutez le garam masala, la coriandre en poudre, le cumin et le curcuma. Laissez cuire encore 3 minutes à feu vif. Ajoutez enfin la coriandre ciselée avant de servir.

Tarka dal ou lentilles au curry (pour 4 personnes)

Accompagnez cet autre classique de la cuisine indienne de riz complet et de raïta (une préparation de yaourt, concombre et menthe fraîche) pour un repas équilibré riche en saveurs.

1 cuil. à soupe d'huile d'olive
1 cuil. à café de graines de moutarde
1 cuil. à café de graines de cumin
4 gousses d'ail émincées
2 petits piments verts égrenés et émincés
1 tomate finement émincée
1 oignon découpé en petits dés
250 g de lentilles – vertes, corail ou blondes, mises à tremper au moins 1 heure puis égouttées, afin de les rendre plus digestes
1 cuil. à café de sel
1 cuil. à café de curcuma
2 cuil. à café de coriandre en poudre
1½ cuil. à café de cumin en poudre
1 petit bouquet de coriandre fraîche ciselé

• Faites chauffer l'huile à feu vif dans une grande casserole ou un wok pendant 1 minute. Jetez-y les graines de moutarde et de cumin et faites-les revenir pendant 1 minute pour qu'elles dégagent tout leur parfum.

• Ajoutez l'ail et les piments verts et laissez cuire à feu moyen. Lorsque l'ail commence à ramollir, ajoutez la tomate et l'oignon, et faites dorer pendant 2 minutes.

• Ajoutez les lentilles égouttées avec 50 cl d'eau bouillante. Versez le sel, le curcuma, le cumin et la coriandre en poudre.

• Laissez cuire à couvert pendant 12 à 15 minutes en mélangeant toutes les 5 minutes.

• Parsemez de coriandre fraîche juste avant de servir.

Salade de saumon grillé, roquette, aubergine et poivron rouge (pour 4 personnes)

Le craquant des noix se marie à la perfection avec le fondant du saumon et de l'aubergine pour créer en bouche un véritable festival de couleurs et de saveurs.

2 poivrons rouges épépinés et coupés en lamelles
2 aubergines coupées en tranches
3 cuil. à soupe d'huile d'olive
2 grosses patates douces
1 cuil. à café de paprika
4 filets de saumon
1 citron
120 g de pignons de pin
60 g de noix de pécan
1 cuil. à café de sirop d'agave
1 cuil. à café de cannelle en poudre
sel et poivre noir fraîchement moulu
1 sachet de feuilles de roquette lavées et séchées

Pour l'assaisonnement :
3 cuil. à soupe d'huile d'olive
le jus de 2 citrons verts
½ cuil. à café de sel
½ cuil. à café poivre noir
2 cuil. à soupe d'eau
2 cuil. à café de tahin (*purée de sésame*)

• Préchauffez le four à 180 °C (th. 6). Placez les poivrons rouges et les aubergines coupés sur une plaque de cuisson, arrosez de 2 cuillerées à soupe d'huile d'olive, salez et poivrez. Enfournez pour 15 minutes en retournant les légumes à mi-cuisson.

• Épluchez les patates douces, puis à l'aide d'un économe, détaillez-les en fins rubans dans le sens de la longueur. Mélangez-les dans un saladier avec le paprika et le restant d'huile d'olive. Salez et poivrez.

• Une fois les poivrons et aubergines rôtis, ajoutez les lamelles de patates douces et poursuivez la cuisson pendant 12 minutes.

• Préchauffez le gril du four à haute température. Déposez les filets de saumon sur une plaque de cuisson chemisée. Salez, poivrez et arrosez du jus de citron. Enfournez sous le gril et faites cuire 8 à 10 minutes.

• Pendant ce temps, dans une poêle à feu doux, faites légèrement caraméliser les pignons de pin et les noix de pécan avec le sirop d'agave et la cannelle pendant environ 3 minutes.

• Laissez refroidir les légumes, le poisson et les noix et préparez l'assaisonnement dans un saladier en mélangeant tous les ingrédients. Disposez la roquette dans 4 assiettes et répartissez les légumes rôtis sur le dessus. Arrosez de sauce et parsemez de pignons de pin et de noix de pécan caramélisés. Déposez enfin les filets de saumon grillés sur le tout et servez aussitôt.

POUR UNE OCCASION SPÉCIALE

Mini-brownies aux haricots noirs (pour 16 portions)

En règle générale, j'évite les desserts, mais quand on reçoit des amis, il est parfois difficile de faire l'impasse. Prévoyez de petites portions, car ces mini-brownies ont un goût de chocolat très intense.

3 cuil. à soupe d'huile de noix de coco fondue, plus une petite quantité pour le moule
425 g de haricots noirs en conserve
2 œufs
60 g de cacao en poudre de bonne qualité
2 cuil. à soupe de grué de cacao (*éclats de fèves*)
1 pincée de sel
1 cuil. à café d'extrait de vanille
70 g de sirop d'agave
1 ½ cuil. à café de levure
2 cuil. à soupe de lait d'amande non sucré
50 g de chocolat noir à 85 % de cacao découpé en morceaux

• Préchauffez le four à 160 °C (th. 5) et graissez un moule à mini muffins avec l'huile de noix de coco.

• Rincez et égouttez soigneusement les haricots noirs. Mixez ensemble les haricots, les œufs, l'huile de noix de coco, le cacao en poudre, le grué de cacao, le sel, l'extrait de vanille, le sirop d'agave et la levure pendant 3 à 4 minutes. Rectifiez si besoin la consistance en ajoutant

1 cuillerée à soupe de lait d'amande – vous devez obtenir une pâte onctueuse, mais pas liquide. Ajoutez le chocolat coupé en morceaux et mixez à nouveau de sorte à incorporer de fins éclats au mélange.

• Versez la pâte dans les empreintes à muffins et enfournez à mi-hauteur pendant 17 minutes. Les brownies doivent rester moelleux et fondants à l'intérieur. Ils se conservent trois jours dans un récipient hermétique.

Mousse au chocolat et à l'avocat (pour 4 à 6 personnes)

Nous savons maintenant qu'il vaut mieux accompagner le sucre de lipides et de protéines qui aident à maintenir une glycémie stable. C'est tout l'intérêt de cette mousse qui associe cacao, dattes et banane à l'avocat. Vous pouvez, si vous le souhaitez, remplacer les dattes et la banane par 2 cuillerées à soupe de sirop d'agave. Je préfère pour ma part m'en abstenir.

  100 g de chocolat noir à 85 % de cacao
  3 avocats très mûrs (*si vous avez besoin d'accélérer leur maturation, placez-les dans un sac en papier avec une banane ou une tomate, ou emballez-les dans du papier journal – l'éthylène emprisonné agit alors comme un catalyseur*)
  30 g de cacao en poudre de bonne qualité
  1 banane bien mûre
  4 dattes medjool
  2 cuil. à soupe de grué de cacao
  1 cuil. à soupe d'extrait de vanille
  1 pincée de sel
  quelques framboises ou éclats de noisettes grillées (*facultatif*)

• Cassez le chocolat noir en morceaux, déposez-le dans un récipient et faites-le fondre au bain-marie.

• Pelez les avocats, retirez le noyau et placez-les dans un saladier avec la poudre de cacao, la banane, les dattes, le grué de cacao, la vanille, le sel et le chocolat fondu. Mélangez énergiquement pendant 4 minutes jusqu'à obtenir la consistance souhaitée.

• Versez la préparation dans de petits ramequins et décorez de framboises ou d'éclats de noisettes grillées. Placez au réfrigérateur et laissez prendre 3 heures, avant de servir.

Chapitre 7

COMMENT SURVIVRE DANS LE MONDE DU SUCRE

Voici maintenant deux ans que j'ai décroché. Oui, c'est héroïque. Mais n'allez pas imaginer pour autant qu'il me soit facile tous les jours de résister aux sirènes du sucre.

J'ai été élevée aux sucreries. Quand j'y ai renoncé, j'avais quitté le cocon familial depuis quinze ans et je faisais mes courses et mes repas toute seule, m'obstinant à manger sucré matin, midi, soir, et toute la sainte journée. Deux petites années d'abstinence ne représentent donc pas grand-chose à l'échelle de cette vie de bec sucré.

Quiconque a déjà essayé de suivre un régime, de se mettre au sport ou d'arrêter de fumer sait bien que le plus dur, ce n'est pas de se lancer, mais de tenir sa résolution sur le long terme. Mais croyez-en mon expérience : pour peu que l'on persévère, on se sent véritablement revivre au bout de quelques semaines.

Je suis loin d'être un modèle de perfection, mais, comme pourraient en témoigner de nombreux membres de ma famille ou ex-petits-amis, je suis incroyablement têtue. Quand je pense avoir raison, je peux défendre mon opinion envers et contre tous. Je veux toujours avoir le dernier mot et je me laisse rarement démonter. Je crois que c'est cette opiniâtreté qui m'a donné la volonté nécessaire pour me désintoxiquer. Dès le début de cette aventure, en juin 2012, j'étais bien décidée à ne pas laisser ma dépendance prendre le dessus. Mais ma belle détermination a parfois été mise à rude épreuve. Si je n'ai jamais vraiment « replongé », il y a tout de même eu quelques sorties de route...

Il y a quelques mois, par exemple, j'ai traversé une période assez compliquée, aussi bien sur le plan professionnel que sentimental.

Après plusieurs semaines de disette côté travail, je me suis tout d'un coup retrouvée submergée de papiers à boucler dans des temps impossibles. Parallèlement, ma vie amoureuse commençait à battre de l'aile et je repoussais depuis quelque temps une décision difficile – cette relation méritait-elle que je continue à m'investir, ou valait-il mieux la laisser se déliter ? Je ne savais plus trop que penser, mon cerveau était en surchauffe et les questions se bousculaient dans ma tête.

Je me sentais donc particulièrement vulnérable quand je retrouvai Katy par un beau samedi. Nous avions prévu de longue date de faire un saut chez le coiffeur avant d'aller boire un verre dans le très chic quartier de Notting Hill. Pour nous faire patienter, la gérante du salon nous proposa un cocktail. Katy commanda une coupe de champagne ; j'optai prudemment pour un verre d'eau. Puis, en papotant entre le shampoing et la couleur, je me surpris à évoquer mon faible pour le Russe blanc – un cocktail à base de vodka, de Kahlúa (une liqueur de café extrêmement sucrée), de lait ou de crème servi avec des glaçons –, et, sans même m'en rendre compte, je m'entendis bientôt en commander un, « juste pour goûter ». Il n'était pas dans mon habitude de céder ainsi à la tentation, mais ce jour-là je craquai bêtement et, à 3 heures de l'après-midi, je me retrouvai à siroter un Russe blanc à la paille. C'était plutôt fort... mais diablement bon.

J'étais bien consciente de m'engager sur une pente glissante. Et de fait, une heure plus tard, dans l'atmosphère feutrée du bar de Notting Hill, je récidivai avec un verre de rouge – oui, je sais, le mélange n'était pas très judicieux... N'ayant plus l'habitude de boire autant, je commençai à me sentir légèrement pompette. Il fallait bien éponger tout cela et ce fut avec délice que je piochai dans un bol de frites mayonnaise... Hummm...

Je sais qu'un cocktail, un verre de vin rouge et une portion de frites de temps en temps, ça n'a jamais tué personne. Beaucoup trouveraient même que cela reste plutôt raisonnable, et j'avoue que c'était exactement ce que je pensais. Mais je voyais bien où tout cela était en train de me mener. Je me sentais comme aspirée dans cette spirale infernale que je connaissais si bien. Je voyais ressurgir l'ancienne Nicole. Ce fut donc à ce moment-là que je décidai de partir, avant que les choses ne dérapent totalement. À 20 heures, encore un peu sonnée par mes excès, j'avais retrouvé la sécurité de mon cher canapé.

Les visites chez mes parents, dans le Sussex, sont tout aussi périlleuses. J'avais deux ans quand ils s'y sont installés et c'est l'unique maison familiale que j'aie jamais connue. Bien qu'ils aient depuis longtemps expédié à la benne mes posters de Pearl Jam, Hole et Nirvana et recouvert de moquette les lames disjointes du parquet, ma chambre d'adolescente n'a pas beaucoup changé. Au grand désespoir de mon père, elle est toujours encombrée de deux grosses armoires pleines de fringues vintage et autres reliques de ma jeunesse – j'ai même gardé la robe de demoiselle d'honneur que je portais à l'âge de neuf ans au mariage de ma cousine Alison. À seize ans, en pleine période grunge, j'ai repeint à la bombe les portes de mon armoire et griffonné au khôl le nom de mon groupe de musique – le bien nommé « Sugar Baby » – sur le côté de la penderie. Tout est encore là.

À dormir ainsi dans la même chambre, dans le même lit, il me serait extrêmement facile de renouer avec mon ancien régime – d'autant que ce ne sont pas les tentations qui manquent : les sodas sont, eux aussi, toujours au même endroit, tout comme la boîte à biscuits que mes parents ont gardé l'habitude de sortir au goûter ou le soir, pour grignoter devant la télé. Bien entendu, on trouvera toujours à la maison du chocolat, de la brioche et des petits pains aux raisins. Les placards débordent de sachets géants de cacahuètes grillées et de mélanges de noix et de fruits secs, et il n'y a pas un repas qui ne soit accompagné de son dessert.

Ma chère maman est probablement la personne la plus adorable et la plus aimante de la terre, mais toute cette histoire de « sans sucre » la dépasse totalement. J'ai beau lui en avoir expliqué les principes des dizaines de fois, elle continue à me proposer presque systématiquement des Frosties ou du granola au petit déjeuner. Pour peu que je monte à côté d'elle en voiture, elle m'invitera à coup sûr à piocher un bonbon ou un caramel dans la boîte à gants.

Lors des deux derniers réveillons de Noël, je n'ai pas échappé au grand rituel du dessert.

« Je sais bien que tu ne manges pas de sucre, ma chérie, mais tu prendras bien un peu de bûche, tout de même…

— Non, merci, maman, c'est beaucoup trop sucré pour moi.

— Alors une petite part de pudding peut-être ? Il est très bon, tu verras, et d'ailleurs il n'y a pratiquement que des fruits, dedans. À moins que tu ne préfères une tartelette ? Prends-en donc une !

— Non, merci, mamaaaaan… »

Me voyant jeter un œil noir sur le glaçage dégoulinant des tartelettes, elle fronce les sourcils.

Il est assez révélateur qu'au bout de deux ans, il me faille encore déployer de tels trésors de volonté pour ne pas flancher, surtout lorsque je romps avec les habitudes de mon quotidien bien huilé. Si je ne trouve plus si alléchante la carte des vins ou celle des desserts au restaurant, il y a quelques mois, lors de l'anniversaire de mon père, le doux bruit de Maltesers roulant au fond d'une boîte passée de main en main a encore réussi à me mettre l'eau à la bouche.

C'est l'une des nombreuses raisons pour lesquelles je continue de penser que, contrairement à ce que prétendent les spécialistes, le sucre crée une réelle dépendance. Bien qu'elle ne perturbe pas autant la vie sociale qu'une addiction à l'alcool, au tabac ou à la drogue – et loin de moi l'idée de minimiser la gravité de ces troubles ou de comparer un Kinder Bueno à une dose d'héroïne –, cette dépendance est aussi très difficile à combattre. Les manifestations physiques du sevrage sont certes pénibles, mais du moins sont-elles de courte durée. La charge affective dont on investit le sucre – comme d'ailleurs les autres substances addictives – persiste en revanche pendant des années, et il est d'autant plus difficile de ne pas replonger qu'aucune réprobation sociale n'est attachée au sucre. Comme le rappelle Ian Marber, « il y a un lien entre la consommation de glucides et notre perception du bien-être. En effet, lorsque nous mangeons quelque chose que nous aimons ou qui flatte notre palais, le cerveau sécrète de la dopamine ». Ce « shoot » de dopamine est l'une des premières choses qui nous manque avec l'arrêt du sucre. Est-ce à dire que si j'avais été élevée dans l'idée que le chou frisé était une gourmandise, j'aurais éprouvé le même plaisir en le mangeant qu'en gobant des bonbons ? « Les glucides déclenchent naturellement une décharge de dopamine dans l'organisme, c'est physiologique, tempère Ian Marber. Mais si vous aviez appris à considérer le chou comme un "aliment récompense", alors oui, votre cerveau sécréterait un peu de dopamine en le reconnaissant. »

J'ai demandé à Lee Mullins si les clients qu'il voyait passer dans sa salle de sport éprouvaient tout autant de difficulté à rester « clean » : « Limiter les apports en sucre est généralement perçu comme le changement le plus radical et le plus difficile à mettre en œuvre. Ils renoncent assez facilement aux boissons, car pour la plupart, ils ne consomment en moyenne de l'alcool que trois fois par semaine et n'ont donc pas grand mal à s'en passer. En revanche, le sucre est présent absolument partout et se glisse dans notre assiette sous une forme ou une autre tous les jours, à chaque repas. Si quelqu'un a vraiment envie d'un verre de rouge une fois par semaine, nous ne lui dirons pas que ça lui fera du mal – d'autant moins que le vin possède certaines vertus –, mais s'il cherche à perdre des bourrelets superflus, ce n'est pas ce qui va l'aider, car il ralentit le processus de dégradation des graisses.

Un vin demi-sec contient en effet entre 0,5 et 2 g de sucre, et le sucre épuise nos réserves de nutriments. Or sans eux, l'organisme se fatigue, il ne peut pas se réparer, se construire et se développer ou rester jeune et en bonne santé. Le sucre accélère le vieillissement, ce que personne ne souhaite, bien entendu. »

D'où l'importance de tout ce que nous avons vu au chapitre 5 : il faut réellement changer de mode de vie et acquérir des habitudes compatibles avec cette nouvelle hygiène alimentaire. Lee livre quelques ficelles : « Beaucoup de nos clients occupent des postes à responsabilité qui les obligent souvent à inviter leurs relations d'affaires à de plantureux dîners d'affaires. Notre rôle est de chercher avec eux de nouvelles stratégies pour accompagner leur changement de vie. Nous les engageons par exemple à remplacer ces dîners par des petits déjeuners de travail. Là, au moins, ils ne seront pas tentés de prendre un whisky avec leurs œufs brouillés ! Si ce sont plutôt les soirées entre amis qui vous posent problème – si vous avez peur de ne pas pouvoir éviter de boire ou de céder à la pression sociale –, prenez votre voiture : cela vous fera une excellente excuse et personne n'y trouvera rien à redire. C'est ce genre de petites initiatives qui peuvent faire une grosse différence et vous aider à garder votre résolution intacte. »

En ce qui me concerne, une bonne partie du changement a consisté à accepter que je n'étais pas, que je ne serais jamais, de ces sylphides qui respirent la santé et peuvent se pointer au bureau tous les matins avec un grand café au lait dans une main, un pain au chocolat dans l'autre, sans jamais prendre un seul gramme, avoir l'air fatiguée ou de mauvaise humeur. Mon corps, à moi, me rappellerait toujours à l'ordre. Je ne suis pas faite pour le sucre. En réalité, personne ne l'est, mais dans mon cas, ses ravages sont simplement un peu plus flagrants.

Si Lee est aujourd'hui un coach et conseiller hors pair, c'est parce qu'il sait de quoi il parle, car lui aussi a connu les affres du sucre : « J'ai joué au foot pendant des années, j'ai donc toujours été assez attentif à ma forme physique. Je ne pouvais pas me permettre de passer une soirée arrosée à la veille d'un match, par exemple. Même si je n'ai jamais été un gros buveur, il m'arrivait de prendre quelques verres avec des amis, mais ça ne me réussissait jamais. Je me réveillais avec la gueule de bois et passais le reste de la journée au lit. Et soudain, on était déjà lundi et il fallait repartir au travail. J'avais l'impression de ne rien avoir eu le temps de faire du week-end, ce qui m'exaspérait car je tenais à profiter de mon temps libre.

Il ne m'a pas fallu très longtemps pour comprendre que l'alcool et moi n'étions pas faits pour nous entendre. Bien sûr, au début, mes amis n'ont pas vu mon choix d'un très bon œil. Un ado de 17-18 ans qui ne buvait pas, ça avait de quoi surprendre ! Mais j'ai trouvé de nouvelles façons de m'amuser avec mes copains. Au lieu d'aller au pub, je les retrouvais pour déjeuner, pour un match de foot ou en salle de gym. Quand je sortais le soir, je prenais systématiquement ma voiture, histoire d'être certain de ne pas boire. En un mot, j'évitais de me mettre dans des situations "à risque". »

Que faire quand ce sont les autres qui vous mettent en difficulté ? Lorsque votre voisine veut vous faire plaisir en vous offrant à Noël vos chocolats préférés – et en espérant bien vous aider à vider la boîte devant une bonne tasse de thé –, faut-il lui retourner son cadeau sous prétexte que « ce n'est plus votre truc » ? Que faire si, invité à dîner chez des amis, vous découvrez que le plat de résistance n'est autre qu'une viande marinée dans le sucre, puis soigneusement caramélisée pendant des heures, servie avec profusion de frites et de sauce barbecue ? Allez-vous faire la fine bouche et vous rabattre sur votre paquet de galettes d'avoine ? Je me suis moi-même retrouvée dans ces deux situations il y a quelques mois, et je me suis rendu compte qu'en fait, il n'est pas si compliqué que cela d'éviter le sucre lorsque l'on vit seul – comme moi – ou avec quelqu'un qui est prêt à vous suivre. Chez soi, quand on a des placards remplis de fruits à coque et de graines de chia, et quelques cartons de lait d'amande dans le frigo, tout se passe comme sur des roulettes. C'est quand on sort de cette routine que les choses se gâtent. On me demande d'ailleurs souvent ce que je mange dans toutes ces autres situations. Voici quelques-unes de mes stratégies de survie en milieu hostile.

Chez des amis

Lorsque je suis invitée, j'ai normalement pour règle de manger ce qu'on me sert, ni plus ni moins. La plupart de mes amis savent maintenant que j'évite le sucre et en tiennent compte dans la composition de leur menu. J'évite toutefois scrupuleusement de les seriner sur mon régime hypoglucidique et je ne leur demande jamais à l'avance ce qu'ils ont prévu de préparer. Je ne veux ni en faire une obsession ni imposer mon régime aux autres. Et d'ailleurs, un écart de temps en temps n'est pas la fin du monde, car après tout, il faut aussi savoir profiter de la vie !

Il arrive cependant que je sois invitée chez des gens que je ne connais pas très bien. S'ils ont la gentillesse de s'inquiéter de ce que je mange ou pas, je m'interdis absolument d'avouer que j'évite tous les sucres et glucides parce que je sais très bien que sinon, dès qu'ils auront raccroché le téléphone, ils s'arracheront les cheveux en se demandant ce qu'ils pourraient bien préparer. Je préfère donc amener la chose plus habilement, en précisant par exemple ne pas être très portée sur les desserts. À partir de là, je fais confiance à mes hôtes, sachant que, la plupart du temps, les plats maison s'intègrent parfaitement à mon régime.

Je n'arrive jamais les mains vides : outre une bonne bouteille de vin ou un bouquet de fleurs pour mes hôtes, je me prévois toujours une eau pétillante. Si je me sens d'humeur généreuse ou que je sais qu'il y aura un gâteau au dessert, j'apporte même une sélection de mes fromages préférés (on n'est jamais si bien servi que par soi-même !) qui pourront également être proposés en fin de repas. Non content de passer pour un invité extrêmement généreux, on se sent ainsi bien moins seul lorsque les autres convives s'extasient devant le fondant au chocolat.

En voyage

Disons-le tout de suite, il n'est pas facile d'échapper au sucre quand on est en déplacement. J'ai déjà raconté mon désarroi lors d'une halte dans une station-service, mais ce type d'endroit est loin d'être le seul à ne proposer que des cochonneries au voyageur. Songeons par exemple aux gares : j'en ai encore fait l'expérience récemment avant d'embarquer dans un train à Victoria Station, au centre de Londres. Partout ce n'était que sandwichs, beignets fourrés, muffins, confiseries et bonbons à gogo ! Et bien sûr, on ne coupe pas aux omniprésents Burger King, McDonald's, Starbucks, bars à sushis et autres chaînes de restauration rapide… En persévérant, j'ai tout de même fini par trouver une boutique bio de l'autre côté de la rue et par mettre la main sur de délicieuses chips de kale – un en-cas parfait que je vous recommande chaleureusement, même si ce n'est pas vraiment donné … En cherchant bien, vous devriez aussi pouvoir trouver des sachets d'amandes ou de noisettes grillées, mais méfiez-vous des bars à jus, très tendance en ce moment : derrière leur côté détox, leurs boissons à base de fruits et de légumes sont bien souvent gorgées de sucre !

Les principaux coupables restent cependant de loin les marchands de journaux qui alignent des rangées de barres chocolatées, bonbons, chips, gâteaux, sodas et j'en passe. Pour être tout à fait honnête, je suis sûre que parmi toutes ces friandises se cachent des sachets de fruits à coque nature, mais j'évite de fréquenter ces lieux de perdition : pas moyen d'acheter un journal sans qu'on essaie de vous fourguer à moitié prix une quelconque bombe chocolatée emballée dans un joli papier métallisé...

Ce n'est pas beaucoup mieux dans les aéroports. Je suis amenée à prendre souvent l'avion, que ce soit pour des raisons privées ou professionnelles et, avec l'expérience, j'ai mis au point un petit rituel qui fonctionne assez bien pour moi. Pour commencer, que vous cherchiez à limiter le sucre ou non, il n'est jamais bon de prendre un verre pendant le vol – je l'ai appris à mes dépens. Comme vous le savez sans doute, un verre d'alcool dans les airs équivaut à trois fois la même dose sur la terre ferme et, si je reconnais avoir une fois passé un agréable moment un peu arrosé en compagnie d'un alpiniste absolument charmant, on se sent en général très mal dès l'instant où l'on passe les contrôles de la douane.

Aujourd'hui je m'en tiens donc au jus de tomate, s'il est frais, ou bien à l'eau gazeuse. Je veille également à prendre avec moi en cabine une ou deux bouteilles d'eau. Si mon vol est relativement court (moins de sept heures), je décline le plateau servi à bord. Je sais que cela peut paraître assez austère, et vous retire en plus une distraction pour tuer le temps. J'essaie généralement de prendre un petit en-cas léger avant d'embarquer, et je me prévois un extra – une salade, par exemple – à ouvrir au moment du repas. De temps en temps, selon la classe dans laquelle vous voyagez, vous serez agréablement surpris par le plat proposé, mais dans la majorité des cas, c'est sans regret que vous délaisserez la pâtée industrielle bourrée de calories que l'on vous mettra sous le nez. Cela vaut particulièrement pour les petits-déjeuners servis dans les vols long-courriers : au menu, muffin ratatiné fourré à la crème rose fluo ou salade de fruits décongelée ? Humm, mon cœur balance, mais vraiment non, merci ! Prévoyez donc autant d'en-cas que vous pouvez en transporter et qui ne vous seront pas confisqués aux portiques de sécurité – personnellement, j'ai toujours mon petit stock de galettes d'avoine (oui, encore, je sais !). Si vous n'avez pas pensé à faire des réserves ou préférez ne pas vous encombrer, vous trouverez toujours de quoi vous dépanner dans une de ces supérettes qu'il y a maintenant dans presque tous les aéroports

– quelques bâtonnets de carotte et de céleri à tremper dans du hoummous, des sachets de noix ou de pois au wasabi, etc.

Avec des enfants

N'ayant pas d'enfant moi-même, je ne suis pas forcément la mieux placée pour aborder ce sujet par ailleurs si complexe qu'il mériterait probablement un livre à lui tout seul. Les aliments transformés destinés aux plus jeunes sont bien souvent truffés de sucres et d'édulcorants qui ne sont évidemment bons ni pour les enfants eux-mêmes ni pour les adultes qui en ont la garde. La seule solution est de leur faire manger la même chose que vous et de les sevrer petit à petit des sucreries, jus de fruits et gourmandises en tout genre prodigués par les grands-parents et taties-gâteau. Je crois toutefois qu'il est important que les enfants ne perçoivent pas, à travers vous, certains aliments comme « tabous ». Je suis particulièrement vigilante avec mes nièces, Millie, six ans, et Matilda, un an, depuis que j'ai entendu Millie expliquer que je ne mangeais pas beaucoup de sucre « parce que c'est mauvais pour la santé ». Elle avait manifestement surpris une conversation entre ma mère ou ma sœur et moi. Même si Millie résumait assez justement mon opinion, je ne suis pas sûre qu'il soit très judicieux d'en faire part aux jeunes enfants et je veille désormais à ne pas faire de commentaires sur la nourriture en leur présence.

En vacances

Les vacances sont pour beaucoup d'entre nous une période semée d'embûches. L'ampleur de la « menace » dépend toutefois de votre destination. La Floride, patrie du jus d'orange frais et des petits déjeuners gargantuesques, vous mettra sans doute au défi, mais à New York, temple des sportifs ne jurant que par les salades végétaliennes bio, sans gluten et à IG bas, vous serez en terrain ami. Le pourtour méditerranéen, où le poisson grillé et les légumes sont rois, vous sera tout aussi favorable. Où que j'aille, j'essaie toujours d'avoir avec moi des galettes d'avoine (on ne change pas une équipe qui gagne !), des fruits à coque et tous

mes autres en-cas favoris, car avec le décalage horaire, notre estomac crie souvent famine à des heures indues. Pensez également à
bien vous hydrater en buvant beaucoup d'eau, ce qui limitera aussi
vos envies de grignotage. Enfin, faites tout simplement au mieux et
n'oubliez pas de vous amuser.

À la pause déjeuner

Si vous habitez une grande ville, vous ne manquerez pas de
choix pour votre repas du midi. Que ce soit à la cantine, à la sand-
wicherie du coin ou dans un petit restaurant bio de quartier, vous
trouverez à proximité de votre bureau de quoi satisfaire tous les
palais. Si vous vivez en revanche au fin fond de la campagne, tout
n'est pas perdu pour autant !

Le plus simple sera probablement alors d'apporter votre propre
boîte-déjeuner au bureau. Il vous suffit de préparer votre dîner
de la veille en plus grandes quantités et d'emporter les restes.
La majorité de mes recettes préférées – du kedgeree de maquereau de James Duigan au tarka dal de Holly (voir p. 149) – ne
perdent rien de leur saveur le lendemain. Si vous disposez d'un
micro-ondes ou de plaques de cuisson au bureau, faites bien
réchauffer et régalez-vous. Pensez également aux soupes et aux
grandes salades composées, particulièrement adaptées.

Si pour vous déjeuner rime forcément avec sandwich,
tournez-vous vers les pains spéciaux : épeautre, seigle, amarante :
on en trouve aujourd'hui toute une variété pour sortir du traditionnel pain blanc à la farine de blé hautement raffinée. Et bien
sûr, les galettes d'avoine restent toujours – mais oui, je dis bien
toujours – une valeur sûre. Accompagnez-les de saumon fumé, de
hoummous, d'avocat ou de betterave. Pour finir le repas sur une
note un peu plus neutre, pensez à ajouter un yaourt nature entier
à votre casse-croûte.

Pour les petits creux

J'ai toujours dans mon tiroir de bureau trois en-cas indispensables pour parer aux urgences. Vous aurez sans doute deviné le

premier. (Si vous pensez à quelque chose en deux mots commençant respectivement par *g* et par *a*, vous êtes sur la bonne voie…). Le deuxième est un flacon de cannelle en poudre dont je saupoudre tout et n'importe quoi – mon café, mon yaourt nature – et que j'affectionne particulièrement pour sa douceur naturelle, le sucre en moins. Et bien entendu, j'ai toujours sous la main quelques sachets de fruits à coque.

Si vous avez un faible pour les chips, privilégiez les nachos bio – ces chips de maïs mexicaines, mais sans tous les parfums et arômes ajoutés. Choisissez-les de préférence nature ou, à défaut, légèrement salés. Ils sont d'ailleurs idéaux à l'apéritif pour accompagner des préparations à tartiner salées maison, tels le guacamole, le hoummous ou le caviar d'aubergine. Attention toutefois, car une fois le paquet entamé, difficile de s'arrêter !

Enfin, avant d'avaler quoi que ce soit, demandez-vous si vous avez vraiment faim ou si vous avez simplement envie de grignoter par désœuvrement ou nervosité, même si la réponse peut vous paraître évidente. Autre petit truc : dès que vous vous sentez une petite fringale, commencez par boire un grand verre d'eau et attendez quelques minutes pour voir si la faim persiste – l'organisme interprète souvent la déshydratation comme un besoin de nourriture.

Au restaurant

Pour dîner dehors sans passer par la case sucre, il suffit de garder à l'esprit quelques règles d'or :
• Évitez les plats en sauce. Plus celle-ci est épaisse et collante, plus il y a de chances qu'elle soit bourrée de sucre. Un jus de viande, par exemple, passera sans problème, mais une sauce aigre-douce au restaurant chinois, beaucoup moins.
• Gardez-vous de piocher dans la corbeille de pain. Si vous avez vraiment très faim, avant de partir, grignotez chez vous une poignée de fruits à coque ou un autre en-cas sain pour calmer votre appétit.
• Les desserts sont à proscrire. Même quand vous êtes de sortie. Si vous tenez vraiment à vous caler en fin de repas, choisissez l'assiette de fromages, mais l'idéal serait de s'en passer.

• Ne cédez pas non plus au vin, dans la mesure du possible. Si vous conduisez, vous aurez un prétexte tout trouvé pour vous en passer, mais si l'envie ou la pression sont vraiment irrésistibles, commandez un bon rouge que vous siroterez à toutes petites gorgées et que vous accompagnerez systématiquement d'un grand verre d'eau. Préférez en tout cas le vin à la bière, dont la teneur en sucre est plus élevée.

Certaines cuisines sont plus compatibles que d'autres avec une alimentation pauvre en sucre :
• La carte des restaurants-grills et des brasseries propose presque toujours des plats adaptés (steak-épinards, salades, etc.).
• Il en va de même pour les restaurants de poissons, que je privilégie souvent quand je souhaite réserver une table.
• Si vous dînez dans un fast-food, mangez votre hamburger sans le pain et limitez le ketchup et la mayonnaise.
• Les restaurants asiatiques posent souvent plus de problèmes. Les poêlées de légumes ou les viandes avec peu ou pas de sauce passent encore, mais les cuisines thaïe, chinoise, indonésienne et malaisienne ont toutes en commun d'être assez sucrées. Optez alors pour un plat à base de riz comme le nasi goreng ou le cha han japonais, avec le minimum d'assaisonnement ou quelques légumes sautés qui ne seront pas servis baignant dans la sauce.
• Les plats indiens sont souvent très gras et saturés de colorants et d'additifs. Préférez les spécialités sans sauce comme le poulet tikka (simplement mariné dans des épices, puis cuit à la broche), que vous accompagnerez par exemple de raïta (une sauce à base de menthe et de yaourt). Si vous vous faites livrer et que le riz complet ne figure pas à la carte, préparez-en vous-même une ration : le temps que votre commande arrive, il sera cuit à point.
• Les restaurants japonais offrent un choix assez vaste, mais évitez les sushis et commandez plutôt un sashimi (le poisson, mais sans le riz) avec, si possible, une garniture de riz complet.
• La carte des restaurants italiens peut également vous donner du fil à retordre : tous les classiques (pizza, pâtes et risotto) sont des glucides à indice glycémique élevé. Les meilleures enseignes proposent toutefois des grillades et vous pourrez toujours prendre

une salade si le cœur vous en dit… Si vous craquez pour des pâtes, choisissez du moins celles qui sont servies avec le moins de sauce (j'ai un faible pour les spaghettis aux palourdes) et reprenez vos bonnes habitudes dès le lendemain matin.

Les plats à emporter

S'il est parfois bien pratique de régler le problème du dîner par un coup de fil ou un passage éclair au restaurant du coin, chacun sait que lorsque l'on surveille son alimentation, les plats préparés ne sont pas ce qu'il y a de plus sain. Quand je n'ai pas d'autre choix, je me rabats généralement sur la cuisine indienne et sur mon trio gagnant : poulet tikka, riz complet et raïta. Nous l'avons vu, il sera plus difficile de trouver son bonheur dans un restaurant asiatique ou un italien. Pour un repas chinois, jetez votre dévolu sur un plat végétarien avec peu de sauce. Les pizzas livrées à domicile, qui ont bien souvent une haute teneur en lipides, en blé (IG élevé) et en sel, sont à déconseiller.

Au bar

Une bonne hygiène de vie ne nous condamne pas nécessairement à une vie monacale. À un moment ou un autre, nous avons tous envie d'aller boire un verre avec des amis. Dans ces cas-là, je choisis un verre de bon vin rouge, qui a l'avantage de ne pas être particulièrement sucré et contient de nombreux antioxydants grâce aux polyphénols et au resvératrol concentrés dans la pellicule des grains de raisin. Les polyphénols participent à prévenir l'obstruction des artères et les maladies cardio-vasculaires, tandis que le resvératrol a une efficacité prouvée dans la lutte contre le cholestérol. Je suis loin d'être une spécialiste, mais le pinot noir cultivé sous des climats froids (au Chili ou en Oregon, par exemple) semblerait être le plus riche en resvératrol, car dans ces conditions difficiles, le raisin produit davantage d'antioxydants pour se prémunir contre les gelées – une bonne astuce, donc pour vous aider à faire votre choix la prochaine fois que vous parcourrez la carte des vins. Malheureusement, cela doit rester un plaisir rare : rappelez-vous qu'un verre de vin contient environ 180 calories, de quoi freiner vos ardeurs ! Quand je sors avec des amis amateurs de cocktails, j'opte pour une vodka allongée d'eau pétillante avec un filet de jus de citron vert. Avec ses 80 à 100 calories par verre (la dose de vodka représente entre 55 et 90 calories et le reste dépend de la quantité de citron), c'est un mélange bien connu des jeunes femmes qui cherchent à garder la ligne. Oubliez en revanche toutes les bières, généralement très riches en glucides.

Vous constaterez que, dans toutes ces situations à risque, le maître mot est l'organisation. Il vous en faudra donc une bonne dose si vous souhaitez renoncer au sucre au quotidien.

Anticipez

• Assurez-vous d'avoir en permanence dans vos placards des herbes aromatiques, des épices et tout ce qui vous aidera à concocter en un rien de temps un repas aussi savoureux que diététique. J'ai toujours dans mon réfrigérateur des œufs, de la feta et des épinards – de quoi me préparer en un tournemain un repas sain à tout moment de la journée.

• Prenez le temps de tester vos recettes : vous apprendrez à les maîtriser et ne serez pas pris au dépourvu si jamais vous êtes un peu pressé pendant votre semaine de travail. Une bonne omelette maison sera plus saine que n'importe quel plat préparé, et ne vous prendra pas plus de temps.

• Ne faites jamais vos courses le ventre vide. Si, en parcourant les rayons du supermarché, vous craignez de succomber à la tentation et de retomber dans vos mauvaises habitudes, faites vos achats en ligne.

• Ayez toujours sous la main quelques bonnes petites choses à grignoter pour vous dépanner.

• Si vous avez prévu de sortir dîner, essayez de réserver à l'avance un restaurant qui corresponde à vos critères – un grill plutôt qu'un indien.

• Si vous n'avez pas le temps de sortir votre batterie de cuisine le matin, prévoyez large pour le dîner de la veille et conservez le surplus au frais, dans une boîte hermétique qu'il vous suffira de glisser dans votre sac avant de partir au travail. Votre déjeuner sera tout trouvé.

• Si vous avez de manière générale du mal à trouver le temps de vous faire de bons petits plats, préparez à l'avance quelques plats faciles à cuire ou à réchauffer et réservez des portions toutes prêtes au réfrigérateur ou au congélateur. C'est par exemple ce que je fais pour le petit déjeuner, avec les pancakes protéinés (p. 140) ou la bouillie de sarrasin et de graines de chia (p. 140). Quand la fantaisie m'en prend, il m'arrive même de préparer mon propre muesli à base d'épeautre, de sarrasin et d'autres céréales, mélangés à des fruits à coque, des graines, des myrtilles fraîches ou ce que je trouve dans mon réfrigérateur. J'en ai pour plusieurs jours et si jamais je suis pressée un matin ou qu'il me vient une petite faim, je n'ai plus qu'à me servir.

Avec le temps, j'ai également compris que mon changement d'alimentation ne serait véritablement efficace que si j'apprenais à mieux gérer mon stress – ce qui est certes plus facile à dire qu'à faire. Le stress et le sucre sont en effet intimement liés. Comme nous l'avons vu, la consommation de sucre est en soi anxiogène, mais lorsque nous sommes sous pression, c'est encore et encore du sucre que notre corps nous réclame. Si vous êtes de ceux qui ont tendance à stocker les graisses autour de la taille (bienvenue au club), lisez ce qui suit, car cela vous concerne.

Holly Pannett nous a expliqué au chapitre 4 que sous l'effet du cortisol, hormone du stress, les graisses ont tendance à s'accumuler dans la région du ventre. Lorsque le cerveau perçoit un danger imminent, il sécrète de l'adrénaline et du cortisol qui envoient une décharge d'énergie (en fait, du glucose extrait des réserves de graisse) pour aider l'organisme à faire face à la menace. Il y a des millions d'années, nos ancêtres pouvaient ainsi détaler à toute vitesse lorsqu'un lion ou un ours les prenaient en chasse, mais les situations anxiogènes auxquelles peuvent être soumis nos contemporains nécessitent rarement autant d'énergie (à quand remonte la dernière fois que vous avez dû échapper aux griffes d'un ours ?). Pourtant, nous libérons cette hormone presque en continu pour réagir au stress : délai à tenir, facture d'électricité astronomique, embouteillage, difficulté à trouver une place de parking… Et que fait l'organisme de cet excès de cortisol ? Il le stocke sous forme de lipides.

Autre effet pervers de cette hormone : elle ouvre l'appétit. Ce qui, dans le schéma de l'évolution, était tout à fait logique : après s'être tant démenés, nos ancêtres avaient grandement besoin de recharger leurs batteries, et si nous nous dépensons beaucoup moins qu'eux, ce mécanisme nous est resté : d'où nos envies d'aliments hautement énergétiques tels que le sucre et les autres glucides. Vous voyez où je veux en venir…

Nous savons tous que le stress est nocif. J'en avais moi-même bien conscience et pourtant, il y a à peine un an, je vivais encore à cent à l'heure, sous pression constante. Puis j'ai démissionné de mon poste et, au lieu de chercher un emploi ailleurs, je me suis installée à mon compte. Il m'arrive encore d'avoir à gérer des « charrettes » et des coups de panique, mais dans l'ensemble, mon environnement de travail est beaucoup plus serein. Entendons-nous bien : rien ne m'exaspère tant que ces privilégiés qui prennent un air tragique pour vous raconter qu'ils ont dû plaquer leur boulot du jour au lendemain parce qu'ils ne « supportaient plus » leur travail « tellement stressant ». Tout le monde ne peut pas se payer le luxe de renoncer à un salaire fixe, et j'en parle en connaissance de cause : j'ai un gros crédit sur le dos, personne pour m'aider à le payer, très peu d'argent de côté et je ne viens pas d'une famille fortunée. J'ai cependant la chance d'exercer un métier qui me permet d'organiser mon temps de manière assez flexible. Ce n'est peut-être pas votre cas, mais vous n'aurez pas forcément à prendre une décision aussi radicale pour réduire votre niveau de stress au quotidien.

Dans l'année qui a précédé mon départ, j'ai progressivement mis en œuvre de nouvelles stratégies pour mener une vie plus calme et posée, en prenant par exemple le temps de faire des choses que j'aime. J'ai retrouvé avec bonheur le chemin de la salle de sport et j'ai même repris la natation – mes dernières brasses remontaient probablement à mon adolescence. Au lieu de dépenser mes économies au bar, je vois un coach particulier au moins une fois par semaine. Même si courir des heures sur un tapis n'est pas vraiment mon truc, j'essaie de faire un peu de cardio et des exercices de renforcement musculaire ou de suivre un cours de Pilates. J'ai dégagé du temps pour voir mes amis et ma famille en coupant les ponts avec d'autres personnes qui ne m'apportaient pas autant. Je me lève tous les matins une heure plus tôt que d'habitude pour arrêter d'avoir à courir toute la journée. Je me suis fait aider pour réorganiser mes finances et j'ai appris à dire « non » avec tact plutôt que de me surmener et me soumettre à une pression constante.

Toutes ces bonnes résolutions m'ont aidée à me tenir à mon régime hypoglucidique. Si vous vous sentez sur le point de flancher, répétez-vous comme un mantra la maxime qui ouvre le premier chapitre : « Lorsque vous songez à laisser tomber, rappelez-vous pourquoi vous avez commencé. » Pour moi, la meilleure des motivations a toujours été de repenser à l'ancienne Nicole que j'étais en 2012. Pour rien au monde je ne voudrais revenir en arrière.

En définitive, je me suis rendu compte que vivre sans sucre n'est ni un calvaire ni une punition. C'est même plutôt une chance et un privilège. Il est grand temps de se défaire de l'idée selon laquelle les gens qui passent leurs soirées à picoler au pub et avalent n'importe quoi, à n'importe quelle heure et n'importe où savent s'amuser ou sont « cool ». Certains scientifiques n'ont pas craint de créer la polémique en comparant l'industrie du sucre à celle du tabac. Or, regardez ce que l'interdiction de la cigarette sur le lieu de travail, dans les lieux publics et les transports – et bientôt peut-être dans les voitures particulières transportant des enfants – a donné : plus personne ne pense que fumer est « cool ». Certains trouvent même que c'est un comportement totalement inadmissible. Je suis certaine que d'ici quelques années, les produits gorgés de sucre nous paraîtront tout aussi toxiques que le tabac. Vous et moi, nous sommes juste à l'avant-garde de cette prise de conscience.

Chapitre 8

L'ENFER, C'EST LES AUTRES

Ce livre vous en a beaucoup appris sur moi. Je ne vous ai rien caché des effets du sucre sur mon corps, mes humeurs ou ma personnalité, tout en vous invitant à réfléchir à la façon dont il vous affectait vous-même. Mais avez-vous songé à son impact sur votre vie sociale ? Auriez-vous soupçonné à quel point le contenu de votre assiette peut retentir sur vos relations amicales, familiales et amoureuses ? J'avoue que rien de tout cela ne m'avait effleurée jusqu'au jour où j'ai arrêté.

Le sentiment galvanisant de reprendre le contrôle de sa vie s'accompagne aussi d'une certaine solitude. Ma vie précédente m'amenait à gérer une bonne partie de mes émotions en avalant des aliments sucrés – pour me soutenir dans les mauvais jours, me réconforter en cas de coup dur. En les abandonnant, j'ai d'abord éprouvé une désagréable sensation de vide dans ma vie. Je m'y attendais un peu, et je savais aussi, pour avoir lu les témoignages de personnes qui avaient décroché, que ça ne durerait pas. Cette impression a effectivement disparu en l'espace de quelques semaines, lorsque mes efforts pour cesser de voir la nourriture comme une récompense ont fini par payer.

Ce que je n'avais pas anticipé, en revanche, c'est la réaction de certains de mes proches et amis. Quand nous dînions ensemble ou sortions boire un verre, si j'avais le malheur de commander une eau pétillante plutôt qu'un cocktail, du poisson grillé et une salade au lieu d'une pizza, ou un thé à la menthe en guise de dessert, certains, sans aller jusqu'à manifester une réelle désapprobation, ne se gênaient pas pour me faire comprendre que je ferais mieux de profiter de la vie.

Ces derniers mois, j'ai souvent été amenée à parler de mon régime autour de moi. La surconsommation de sucre est aujourd'hui devenue un sujet récurrent dans les médias, et mes interlocuteurs se montrent généralement curieux de savoir comment j'ai commencé, les difficultés que j'ai rencontrées, etc. Mais quand je me suis lancée, je n'ai dit à presque personne que j'essayais de me désintoxiquer. Je préférais éviter que cela ne se sache, histoire de ne pas perdre la face au cas où je craquerais. Au restaurant, au lieu de lorgner l'assiette de mes convives ou de me lamenter sur tout ce que je ne pouvais pas manger – ce qui aurait inévitablement suscité une avalanche de questions et de commentaires –, je m'efforçais au contraire de ne rien laisser paraître.

Malgré cela, une poignée de personnes – elles furent, je le souligne, peu nombreuses, mais plutôt véhémentes – en étaient presque à me sermonner lorsque nous partagions la même table. Je ne savais pas me faire plaisir, je ne choisissais pas ce que j'avais *envie* de manger, mais ce que je croyais être bon pour ma santé – comme si je ne pouvais pas, précisément, avoir *envie* de manger quelque chose de sain. Je savais pourtant qu'elles étaient plutôt sensibles aux questions de santé et de bien-être, mais elles me faisaient clairement comprendre que mon « austérité » équivalait à leurs yeux à une « trahison ». Je sentais comme une forme de compétition qui se jouait dans l'assiette, ce qui était totalement nouveau pour moi – et assez déconcertant.

Ma décision de limiter l'alcool fut une autre pierre d'achoppement, ce qui ne vous surprendra peut-être nullement. Nous avons tous déjà choisi pour une raison ou une autre de passer une soirée de fête sans boire la moindre goutte… et enduré tout du long d'incessantes sollicitations. En ne levant pas le coude avec mes amis au pub, j'avais l'impression de gâcher un peu leur plaisir, ce qui était assez paradoxal puisque, la plupart du temps, cela ne changeait rien pour moi. J'avoue avoir quelques fois commandé une eau gazeuse décorée d'une rondelle de citron en prétendant que c'était une vodka-limonade juste pour qu'on me fiche la paix.

Je ne comprends pas qu'il paraisse tout à fait acceptable de harceler un ami qui essaie de s'abstenir de quelque chose, alors que personne n'admettrait que je me permette un commentaire sur les excès d'un autre. Je me verrais mal, l'œil sur l'assiette de mon voisin de table, lui lancer : « Mon Dieu, mais pourquoi manges-tu aussi mal ? As-tu donc une si mauvaise opinion de toi-même ? » Ou pire, faire de la psychanalyse de café du commerce avec des réflexions du genre : « T'es-tu déjà demandé pourquoi tu trouves une forme de "récompense" dans les aliments gras, sucrés et hyper-glucidiques ? » Pour jeter un froid dans une soirée, il n'y aurait pas mieux.

J'ai demandé à Amanda Hills, psychologue spécialisée dans les addictions, comment elle expliquait que nos efforts pour nous défaire d'une mauvaise habitude soient parfois si mal accueillis par nos proches. « Vous avez tout à fait raison quand vous dites que, socialement, les réflexions sur les mauvaises habitudes de vie sont moins bien tolérées que les commentaires sur les habitudes alimentaires saines. Les gens qui ne mangent pas de ceci ou de cela se trouvent souvent en butte à la critique et aux jugements – qui peuvent se traduire par des petites phrases d'apparence anodine, voire amicale : "Allons, un petit dessert, ça ne te fera pas de mal. La vie est trop courte pour se priver !" Mais personne ne songerait à faire le même genre de remarque à quelqu'un qui commanderait un camembert pané ; de même, qui oserait inciter un végétarien à avaler un bon steak, sous prétexte qu'"il faut savoir profiter des plaisirs de la vie" ? Si culturellement, on respecte le choix de ceux qui ont renoncé à la viande, ce n'est généralement pas le cas lors-qu'il s'agit du sucre. »

Mon amie Jane, qui m'a apporté un soutien sans faille dans mon combat contre le sucre, a sa propre théorie sur la ques-tion. Elle pense que si certaines personnes s'offusquent de voir un proche adopter un nouveau mode de vie, que ce soit dans son style vestimentaire, ses goûts musicaux ou ses habitudes alimen-taires, c'est par crainte du changement : « C'est peut-être parce que nous sommes tous attirés par des personnes qui nous sont plus ou moins semblables, avec qui nous nous trouvons des points communs – qui se ressemble s'assemble, comme dit l'adage. Quand soudain vous affichez des préférences qui ne sont pas les mêmes que celles que vos proches vous connaissaient, ils sont en quelque sorte déstabilisés et, inconsciemment, ils ont peut-être peur de perdre la relation qu'ils avaient avec vous. C'est comme si vous n'étiez plus la même personne. »

D'où venaient alors ces quelques commentaires réprobateurs ? Mon entourage s'inquiétait-il simplement pour moi ou était-ce, comme le pense Jane, par peur de me voir changer ? Certains avaient-ils la désagréable impression que je tendais un miroir pour les mettre face à leurs propres faiblesses ? Ou bien y avait-il derrière tout cela une forme de concurrence ? J'ai bien des défauts, mais je n'ai pas l'esprit de compétition – ou du moins, je ne le place pas là : je me moque totalement de ce que peut faire, manger ou porter Untel ou Untel. J'ai toujours mené mon petit bonhomme de chemin sans me laisser dicter mon comportement par le regard des autres. Au restaurant, par exemple, cela ne me gênait pas le moins du monde de commander un dessert même si personne d'autre n'en voulait. C'est d'ailleurs ce genre de chose qui explique que j'en sois arrivée à devoir me désintoxiquer, mais c'est une autre affaire…

« La nourriture est l'un des ciments des relations sociales, poursuit Amanda Hills. Cela commence bien avant les dîners entre amis, dès les premiers échanges avec nos parents et avant même la naissance, dans le ventre de notre mère qui, déjà, nous nourrit. » Est-ce à dire que craquer sur les friandises serait une façon de créer des liens ? Et, *a contrario*, le fait de s'en priver serait-il une façon de ne pas prendre part aux réjouissances et de prendre ses distances avec autrui ? C'est ce que pense Amanda : « Nous sommes conditionnés à associer le sucré à la notion de plaisir et de récompense. Consommer du sucre a un effet positif sur notre cerveau et l'incite à sécréter de la dopamine et de la sérotonine. En grandissant, nous choisissons donc souvent de témoigner notre affection par le biais de sucreries ou autres gourmandises parce que nous sommes ainsi sûrs de faire plaisir. C'est une constante pratiquement universelle. En rejetant cette forme de rituel, on s'expose à certaines réactions négatives.

En d'autres termes, l'abstinence peut susciter l'incompréhension, voire l'hostilité. « J'ai passé des années à essayer de comprendre ce phénomène, que ce soit par mes recherches, en travaillant avec mes patients ou à travers de simples conversations avec mes amis, et je crois que cette négativité est en fait un mécanisme de défense. La remise en question de l'autre nous pousse à faire notre propre autocritique. On constate souvent que les personnes qui réagissent de façon négative auraient elles-mêmes envie de changer, mais qu'elles ne sont pas dans le bon état d'esprit pour se lancer, ou qu'elles ont déjà essayé par le passé sans y parvenir et ne se sentent pas prêtes à faire une nouvelle tentative. Critiquer quelqu'un qui réussit là où elles ont échoué est alors pour elles une façon de gérer ce sentiment, de se sentir mieux face à leur propre échec. La critique peut également partir d'un bon sentiment : elle peut refléter l'attachement d'un proche qui aimerait que vous puissiez vous faire plaisir sans retenue, mais malheureusement, cela n'est pas possible avec le sucre. Les jugements négatifs émanent rarement de personnes qui ont atteint le but qu'elles s'étaient fixé – qu'il s'agisse d'arrêter de fumer ou de boire ou de faire un régime. »

Nous avons tous dans notre entourage quelqu'un qui correspond à cette description. J'ai moi-même découvert ce côté sombre chez une amie à l'occasion d'un mariage à la campagne ; la fête durait trois jours et nous avions décidé de partager une chambre. Elle s'attendait manifestement à trouver en moi une complice qui, comme par le passé, l'accompagnerait et la conforterait dans tous ses excès, mais mon « ascétisme » lui inspira une immense déception. Elle se sentait flouée par la « nouvelle Nicole » qui ne trempait même plus les lèvres dans un verre d'alcool et, interprétant chacun de mes refus comme un jugement sur ses propres comportements, elle avait l'impression d'être tombée dans un traquenard. Elle passa pratiquement tout le week-end à essayer de me faire craquer, m'apportant des assiettes de petits-fours, des coupes de champagne, insistant pour que je goûte à tel ou tel gâteau « absolument divin » – non qu'il n'y eût rien d'autre à manger, mais c'était ce qui lui faisait envie à elle, et elle ne voulait de toute évidence pas être la seule à se goinfrer. C'était exaspérant. Lorsqu'elle comprit enfin que je ne me laisserais pas amadouer, elle parut réellement ennuyée, comme si ma discipline lui gâchait la fête. Je n'étais pourtant pas moins enjouée que d'habitude et participais avec entrain aux réjouissances de la noce – je fis quelques pas sur la piste de danse et ne rentrai me coucher que fort tard. Son attitude me laissa perplexe. Nous sommes amies depuis des années et je sais bien qu'elle tient à moi et se soucie de mon bien-être, ce qui est d'ailleurs réciproque. Comment expliquer une telle réaction ?

« Ce que vous décrivez ici est une tentative manifeste de sabotage, analyse Amanda Hills. C'est un comportement très révélateur et fréquent chez les personnes qui ne sont pas satisfaites de leur propre mode de vie. Par exemple, si un ami vous incite à boire plus que vous ne le voudriez, c'est parce qu'en n'étant pas le seul à prendre cette deuxième bouteille de vin, il aura l'impression que son choix aura été validé par un autre. Lorsque vous n'allez pas dans le même sens – que vous refusez ce verre de vin supplémentaire ou que vous décidez de ne pas prendre de dessert –, vous bousculez l'idée que votre ami se fait de ce qui est "acceptable". En l'obligeant à examiner son propre comportement et ses propres choix, vous le placez dans une position inconfortable. »

Je me demande également si l'image que je renvoyais à mon entourage n'y était pas pour quelque chose. Avant ma détox, j'étais la fille un peu rondouillette, rigolote, toujours prête à faire la fête, et qui se moquait bien de savoir si ce qu'elle buvait ou mangeait pouvait lui faire du tort. Quand, en 2003, j'ai quitté les magazines féminins pour la presse d'information, il ne m'a pas fallu longtemps pour adopter les us et coutumes de mes nouveaux collègues et me retrouver presque tous les soirs au pub avec eux autour d'une bonne bouteille de vin, d'un paquet de chips ou d'une portion de frites mayonnaise. Bien entendu, ma silhouette accusait le coup, mais du moins étais-je d'agréable compagnie.

« Nous jouons souvent un "rôle" aux yeux des autres, confirme Amanda, que nous nous le soyons créé par nos comportements passés ou qu'il nous ait été assigné par les autres parce que c'est celui qu'ils attendent de nous, pour une raison ou pour une autre. Chacun trouve ainsi sa place dans le groupe : il y a le tatillon, le noceur, l'introverti ou l'exubérant, celle qui décommande toujours à la dernière minute… Ce ne sont que des exemples, mais si vous faites le test autour de vous, vous constaterez sans doute que chacun a son personnage à jouer. Un changement ou une évolution – que nous recherchons tous plus ou moins, personne ne souhaitant être exactement le même que cinq ans plus tôt – sera alors perçu par certains comme une menace. Nos amis se sentiront obligés de se regarder en face et se diront peut-être qu'ils ne sont pas si heureux tels qu'ils sont. Les femmes se sentent également en compétition sur le terrain de la nourriture, auquel les hommes sont moins sensibles. »

J'ai voulu savoir pourquoi, au lieu de considérer les aliments sucrés comme une simple source d'énergie, nous leur attachons une telle valeur symbolique. Ian Marber a sa petite idée sur le sujet : « Nous vivons dans une société où tout, à commencer par le sucre et la nourriture, est simplifié à l'excès : à coups de "miam" et de "beurk", nous classons les aliments en deux catégories – "bons" ou "pas bons" –, ce qui est vraiment une façon très puérile de présenter les choses. Il y a, autour des sucreries, une sorte de mièvrerie enfantine. Les cupcakes en sont un parfait exemple. Je me suis toujours demandé si cette fascination pour ces petits gâteaux qui semblent tout droit sortis d'une dînette n'était pas une relique de l'enfance. Ils sont si mignons avec leur glaçage coloré – un vrai rêve de petite fille !

Personnellement, je les ai toujours trouvés écœurants, mais ils ont un côté "mignon" et "*Sex and the City*" qui en fait presque un accessoire de mode – le fait est qu'on les voit absolument partout. On trouve même des pâtisseries spécialisées dans les cupcakes dans les quartiers chics, où absolument personne ne toucherait à une chose aussi sucrée. Je me demande d'où vient la demande. Partager ce genre de petits plaisirs crée des liens. On imagine mal les hommes de l'équipe de *GQ* faire passer une boîte de cupcakes dans leur salle de rédaction – l'image prête immédiatement à sourire. Or, c'est exactement ce qu'il se passe dans les bureaux de la presse féminine ! »

Ah, les hommes, parlons-en justement… Étant, sous mes allures délurées, une grande timide, j'ai toujours trouvé les premiers rendez-vous tellement angoissants qu'il me fallait systématiquement quelques verres d'alcool pour me détendre. À l'époque où j'ai entamé ma détox, j'étais célibataire – mais je n'avais pas vraiment envie de le rester. Pourtant, je ne m'imaginais pas affronter à jeun l'épreuve de la séduction. Pour tout avouer, c'était même l'un des points qui m'avaient le plus fait hésiter au moment de démarrer cette aventure. Je n'ai dans mon entourage qu'une seule amie qui ne boit pas ou peu, et si ses histoires de tête-à-tête complètement ratés avec des princes charmants qui avaient tellement picolé qu'ils étaient incapables d'aligner trois idées au bout d'une heure nous faisaient hurler de rire, elles avaient aussi un côté terriblement tragique. Nous avons toutes, un jour ou l'autre, passé une soirée à mourir d'ennui en face d'un type un peu trop éméché, avec une seule envie : rentrer au plus vite à la maison et se glisser sous la couette – seule. Si, sur le coup, on est plutôt heureuse d'avoir échappé au pire, on a généralement envie de retrouver l'âme sœur qui partagera notre lit et notre vie.

À l'été 2012, j'étais donc célibataire et plutôt contente de l'être, et je n'avais aucun prétendant en vue. Ma mère se désolait pour moi et, avec la complicité de ma sœur Natalie, essaya de me convaincre de m'inscrire sur un site de rencontres. L'expérience ne me tentait absolument pas et d'ailleurs, je n'étais pas prête : j'avais décidé de commencer par m'occuper de moi-même et de me donner le temps d'apprivoiser mon nouveau régime, de perdre quelques kilos et de retrouver une peau normale. Avec mes joues et mon menton couverts de boutons, je ne pouvais décemment pas espérer séduire un nouvel amoureux et, à moins de vouloir le faire fuir, je me voyais mal débuter une nouvelle relation en me tartinant tous les soirs le visage de crème anti-acné… Je préférais attendre d'avoir réglé tous ces problèmes pour reprendre en main mes affaires de cœur.

Mais le destin avait décidé de s'en charger pour moi – et plus tôt que prévu. Par un bel après-midi de septembre, je sentis mon téléphone vibrer dans ma poche. Je m'étais échappée du bureau une heure ou deux pour aller rafraîchir ma coupe de cheveux dans un quartier chic de l'Ouest londonien et j'imaginais déjà que le boulot me rattrapait avant même que je n'aie eu le temps de pousser la porte du salon. Je me trompais. Ce n'était qu'un SMS : « Tu ne connaîtrais pas un certain James Smith, par hasard ? » Mon cœur fit un bond dans ma poitrine. Ces dix petits mots n'annonçaient rien qui vaille. Barry [le prénom a été changé] était de retour.

À trente-cinq ans, Barry avait deux ans de plus que moi et travaillait à la City. Nous nous étions rencontrés un an plus tôt, à l'été 2011, lors d'une soirée d'entreprise. Nous avions échangé quelques mots et il m'avait tout de suite plu. Il avait malheureusement dû filer au bout de vingt minutes, car d'autres obligations l'appelaient, mais il ne m'en avait pas fallu davantage pour tomber sous le charme. Il semblait très sûr de lui, sans toutefois faire le m'as-tu-vu, et cet aplomb le rendait à mes yeux incroyablement séduisant. Le lendemain, je ne cessais de vanter ses mérites à mes collègues, qui finirent par me conseiller, avec raison, de parler moins et d'agir plus (ce qui, entre ma timidité et ma crainte maladive de me faire rembarrer, n'est pas vraiment mon fort). Je me décidai toutefois à le retrouver grâce à son profil Facebook et à l'inviter à prendre un verre.

S'ensuivit alors une attente insoutenable pendant laquelle je guettais frénétiquement mon compte Facebook toutes les quinze minutes. Rien. Je me pris même à me connecter au beau milieu de la nuit… toujours rien. Puis le lendemain soir, dans le bus qui me ramenait chez moi, Facebook me notifia enfin que j'avais un message. Alors que j'étais sur le point de perdre espoir, Barry m'avait répondu. Nous convînmes d'aller prendre « une tasse de thé » à mon retour de mes vacances à Bali, quelques semaines plus tard. Et là, ce fut le choc : Barry ne buvait pas ! Notre premier rendez-vous se passa littéralement à siroter une tasse de thé. Ce n'était pas un alcoolique en rémission, mais il n'aimait tout simplement pas l'alcool et n'en avait plus bu une goutte depuis des années.

Je n'en revenais pas. Trouver un Londonien qui ne boive pas est quasiment mission impossible – autant chercher une pépite d'or dans la Tamise. À cette époque, j'étais assez attachée à mes cocktails et je doutais de pouvoir me détendre en compagnie d'un homme qui commandait ostensiblement une eau minérale. Nous nous sommes vus quelques fois, histoire de faire un peu mieux connaissance, mais Barry ne m'a jamais paru très emballé – ce qui était bien dommage, car lui avait tout pour me plaire : il était grand, beau, intelligent, cultivé, indépendant ; il avait de l'humour et une belle situation. Nous avions les mêmes goûts musicaux, aimions les mêmes films, riions des mêmes choses. Je tiens beaucoup à mon indépendance et je veux pouvoir faire ce qui me plaît de mon côté. Barry avait exactement la même conception des choses. Nous étions tous deux proches de notre famille et assez aventureux dans l'âme. Il habitait seul, pas très loin de chez moi, avait beaucoup voyagé et avait toujours des tas d'histoires rocambolesques à raconter. Il savait parfaitement gérer son argent et a même essayé de redresser mes finances chaotiques en m'aidant à mieux contrôler mes dépenses – ce qui était devenu une véritable urgence. En résumé, Barry était tout à fait mon type d'homme, et le fait qu'il soit l'un des rares Londoniens à faire tous ses déplacements en ville au volant de sa voiture ne gâchait rien à l'affaire…

Puis Barry disparut de ma vie aussi soudainement qu'il y était entré. Nous nous étions vus dans l'après-midi du 31 décembre 2011, avant d'aller passer chacun le réveillon de son côté. Courant janvier, sans nouvelles de lui, je lui envoyai quelques textos aussi anodins et légers que je le pouvais, mais il ne me répondit que rarement, et dès que je lui proposais de nous voir, c'était silence radio. Au bureau, je bassinais tous les jours les copines, me désolant d'avoir perdu l'homme idéal. Barry m'avait tellement emballée que j'avais même fermé les yeux sur des détails qui, en d'autres circonstances, auraient été rédhibitoires, à commencer par ses chaussures éculées et ses jeans mal coupés, ou sa manie de se précipiter sur son portable au beau milieu d'une conversation, par exemple. Il avait en outre un côté un peu paresseux, à prendre sa voiture pour le moindre trajet ou à s'affaler sur mon canapé pendant que je m'activais pour le servir, mais j'étais convaincue qu'il était fait pour moi. Et j'attendais avec impatience le moment où je pourrais enfin faire le ménage dans sa garde-robe.

Mais Barry était parti et je devais tourner la page. Un autre nouvel an arriva. Entre-temps, j'avais souvent pensé à lui en me demandant ce que j'avais bien pu dire pour le faire fuir ainsi, alors que j'étais persuadée que nous nous entendions si bien, que nous avions tant de choses en commun. J'étais toutefois déterminée à ne pas commencer une nouvelle année en regrettant quelqu'un qui ne voulait manifestement pas de moi et n'était, de surcroît, même pas capable de me dire pourquoi en face. À la fin du printemps 2012, je rencontrai Chris, le bon vivant dont j'ai parlé au début de ce livre.

Je ne savais pas trop sur quoi notre relation déboucherait, mais en attendant, nous nous amusions bien ensemble, passant le plus clair de notre temps à boire et à manger. Nous commencions souvent le dimanche par un rôti en sauce accompagné de pommes de terre sautées et arrosé d'au moins une bonne bouteille de vin. Et puis il y avait le dessert, absolument incontournable : une crème brûlée et sa délectable croûte de sucre caramélisée ou un fondant au chocolat au cœur coulant... Comme j'adorais les crèmes glacées, je prenais toujours soin d'en déposer une grosse boule sur les desserts qui s'y prêtaient – c'est-à-dire à peu près tous. Quelques heures plus tard, c'était l'heure du goûter et nous sortions les biscuits et la confiture, sans oublier de faire descendre le tout d'un ou deux verres de vin. Le contrecoup du lundi (tête lourde et yeux battus), comme on pouvait s'y attendre, était nettement moins agréable, et je ne peux pas dire que j'étais en grande forme pour attaquer une dure semaine de travail. Je profitais de la semaine, où nous nous voyions moins – car Chris avait un métier très prenant dans le secteur bancaire –, pour essayer de manger un peu plus sainement, mais je sentais bien que mes vêtements me serraient de plus en plus et bientôt, je dus remiser mes robes moulantes au fond de ma penderie. Ce fut à cette époque que je m'offris pour mon anniversaire la magnifique robe Dolce & Gabbana en taille 44... Ce n'était pas bon signe.

Au bout de quelques mois, Chris et moi nous sommes rendu compte que notre histoire n'irait pas plus loin et qu'il valait mieux y mettre un terme. Je savais que c'était la bonne décision, mais ma fierté en prit tout de même un coup. Quelle fille n'a pas rêvé qu'on se batte pour elle, qu'on essaie de la reconquérir par un geste flamboyant en lui écrivant par exemple une ode à sa personne ou en réquisitionnant un immense panneau publicitaire pour crier sur tous les toits à quel point la vie sans elle est un cauchemar ? Au lieu de cela, Chris me faisait le coup tant redouté du « restons amis » – entendez : « Je ne t'aime pas plus que ça. » – avec à peine un soupir de regret. À mon grand désespoir, j'étais de retour à la case départ du grand Monopoly de l'Amour et, comme à mon habitude, je me rabattis sur mon club de sport pour évacuer ma déception et me vider la tête. Après quarante-cinq minutes à transpirer et m'essouffler sans raison sur un tapis de course, rien ne me paraît plus très grave ni important – la plupart du temps, je suis déjà soulagée d'avoir survécu !

Une semaine plus tard, en pleine remise en question, je décidai de renoncer au sucre. Pour la première fois depuis des mois, je cessai de me lamenter sur le néant de ma vie amoureuse pour me recentrer sur moi-même. Cela faisait longtemps que je ne m'étais pas sentie aussi bien dans mes baskets, tout allait pour le mieux.

Et voilà que Barry déboulait à nouveau dans ma vie sans crier gare. Je reconnaissais bien là son style assez abrupt et confiant, sans préambule ni aucune forme de politesse : pas un mot d'excuse pour s'être comporté comme un goujat, pas une explication pour justifier son silence pendant des mois. Non, Barry voulait simplement savoir si je connaissais James Smith. J'ai bien dû attendre, allez, dix secondes avant de pianoter : « Bonjour, Barry. Contente d'avoir de tes nouvelles. Je vais très bien, merci » et d'appuyer sur la touche « envoyer ». Et toc ! Je savais très bien qui était James Smith (le petit ami d'une connaissance commune), mais je n'allais tout de même pas le lui dire. Une partie de moi espérait qu'il ne me répondrait pas, car je n'étais pas sûre d'être prête à m'engager à nouveau dans une relation amoureuse mouvementée, même si je me trouvais particulièrement sexy avec mon nouveau tour de taille et ma peau dorée par le soleil d'Espagne. Mais deux minutes plus tard, nouveau texto : Barry avait manifestement décidé de prendre ma réponse avec humour et il m'expliqua qu'il était en Pologne pour un client. Ah, c'était donc ça : il s'ennuyait, tout seul dans sa chambre d'hôtel.

En quelques SMS charmeurs, le lien se renoua et nous décidâmes de nous revoir à son retour. Je ne voulais pas trop m'emballer, mais la perspective de retrouver Barry m'enchantait. Sa compagnie était un bonheur et, en attendant, cela me faisait une raison supplémentaire de suivre mon régime à la lettre. Quelques semaines plus tard, il vint dîner à la maison. Depuis quelques mois, je passais une bonne partie de mes soirées à tester de nouvelles recettes diététiques et à réapprendre à cuisiner, et je dois dire que j'étais plutôt fière de certaines de mes créations culinaires. Barry a un physique plutôt athlétique et un appétit d'ogre. De mes currys au riz complet à ma salade d'épinards frais au filet de bœuf mariné en passant par mes sautés de poulet aux noix de cajou, tous mes petits plats remportèrent un franc succès et il n'en laissait jamais une miette. J'ai toujours aimé avoir quelqu'un à dorloter et il se laissait volontiers faire. Et bien sûr, Barry ne buvait pas. Nous ne passions pas nos soirées au pub et nous ne nous retrouvions pas dans un bar branché en sortant du travail. Il n'y avait aucune pression, aucun de nous ne poussait l'autre à boire. Nous nous voyions habituellement chez moi et passions des soirées calmes en tête à tête à écouter de la musique. Il nous arrivait de sortir au restaurant, tous les deux en amoureux (et l'iPad, toujours ce fichu iPad !) et j'adorais cela. J'avais l'impression de m'être trouvé un meilleur ami. Au début, Barry ne pouvait pas se passer de sucreries et il avalait des desserts, des tablettes de chocolat entières et autres friandises à longueur de temps. Mais au bout d'un an, il commença lui aussi à réduire sa consommation de sucre. Lui qui adorait le chocolat, finit par y renoncer pour adopter le yaourt nature parsemé d'amandes grillées et saupoudré de cannelle. Je tiens à préciser que ce fut un changement progressif et que je n'ai jamais rien fait pour l'y encourager. En bon garçon un peu fanfaron sur les bords, il prenait d'ailleurs davantage la chose comme un jeu : il était capable d'engloutir deux croissants aux amandes au petit déjeuner, puis, l'après-midi même, se vanter de suivre un régime hypoglucidique… Quoi qu'il en soit, Barry n'a jamais cherché à remettre en cause mes habitudes alimentaires. C'est l'une des nombreuses choses que j'aimais chez lui et l'un des principaux facteurs qui m'ont aidée à tenir mon nouveau régime sur la longueur.

Si j'évoque ici mon histoire avec lui, c'est que je tiens tout d'abord à montrer que, même si nous nous sommes à nouveau séparés au bout de dix-huit mois, il est possible de faire de belles rencontres sans avoir à en passer par quelques verres pour se donner le courage d'entamer la conversation avec un inconnu. Dans mon cas, bien entendu, ce fut d'autant plus facile que Barry ne touchait pas à l'alcool, mais j'ai appris grâce à lui que je n'avais pas besoin d'être pompette pour séduire. Et si Barry n'avait pas été là, je ne suis pas certaine que j'aurais réussi à tenir mon pacte « zéro-sucre ». Il est entré dans ma vie au bon moment, pour m'aider à passer ce qui, sans lui, aurait été un cap difficile. Malgré les hauts et les bas de notre relation – et ils furent nombreux – il n'a jamais essayé de me faire craquer. Lorsque je lui préparais mon fameux brownie au chocolat, il ne me proposait jamais d'en goûter une part, sans doute parce qu'ayant lui-même enduré pendant des années les invitations insistantes à prendre un verre d'alcool, il comprenait parfaitement ma situation. Lors de nos vacances aux États-Unis, il s'est commandé presque tous les jours des pancakes dégoulinants de sirop d'érable, qu'il couvrait copieusement de sucre glace et de fraises, mais contrairement à beaucoup d'autres, jamais il n'a insisté pour me faire partager son plaisir ou me faire goûter au moins une bouchée, histoire de me rappeler ce que je ratais. Barry était loin d'être parfait, et il serait le premier à le reconnaître, mais avec lui mon régime particulier paraissait soudain parfaitement normal, et rien que pour ça, je lui serai toujours reconnaissante.

Si vous voulez vraiment changer durablement d'hygiène de vie – qu'il s'agisse d'arrêter le sucre ou autre chose –, je ne saurais trop vous recommander de vous trouver un « Barry » qui devra prendre soin de vous, être votre meilleur ami et vous soutenir dans tous vos efforts pour limiter le sucre – que vous choisissiez de vous enfermer chez vous pour vivre en ermite, de ne rien dire à qui que ce soit de votre démarche ou au contraire de crier sur les toits que vous avez trouvé le régime miracle et de faire du prosély-tisme anti-sucre. Dans l'idéal, il se joindra à vous dans cette bataille, mais à défaut, il devra du moins tout faire pour ne pas vous mettre des bâtons dans les roues. C'est aussi simple que cela.

Je me suis également trouvé d'autres mentors en cours de route. Holly Pannett, que j'ai rencontrée quelques mois après le début de ma détox, est ainsi devenue une amie très proche. Pendant ma séance de coaching hebdomadaire, nous parlons travail, amours, et nutrition, bien sûr. Holly m'a appris énormément de choses, et notamment qu'il était important de ne pas être trop stricte sur mes tabous alimentaires. Elle comprend complètement ma démarche et a été d'un précieux soutien depuis le début.

J'ai également fait la connaissance, l'année dernière, de James Duigan, l'auteur du programme *Équilibre et légèreté*, qui m'a invitée à passer à sa salle de sport pour m'entraîner avec ses coachs personnels. Ce fut une révélation : je me retrouvai entourée d'hommes et de femmes qui respiraient la santé et le bien-être et qui tous, suivaient les principes du Bodyism. J'avais enfin l'impression de ne plus être seule, d'appartenir à une communauté : tous ces gens croyaient en la même chose que moi, et je n'avais plus l'impression d'être une extraterrestre parce que je ne mangeais pas de sucre.

Comme nous l'avons vu plus haut, il vous faudra cependant vous préparer à faire face à la réticence de certains de vos amis les plus chers et les plus proches. « Critiquer quelqu'un qui s'efforce de vivre sainement est assez courant dans notre culture européenne, explique Amanda Hills. Je rentre tout juste des États-Unis et j'ai constaté que dans de grandes villes comme New York ou Los Angeles, lorsque vous expliquez que vous essayez de réduire votre consommation de sucre, on applaudit à vos efforts. On ne retrouve pas du tout ce type de réaction chez nous. Nous sommes très en retard sur ce genre de thématique et il n'est pas dans notre culture d'encourager les gens à prendre soin de leur santé. La démarche ne nous semble vraiment acceptable que lorsque la personne a une bonne raison de suivre une hygiène stricte – dans le cas des athlètes de haut niveau, par exemple. Autrement, elle inspire plutôt une certaine méfiance, nous exaspère, même. À croire que nous prenons un malin plaisir à voir les côtés négatifs de ce genre d'initiative et non les bienfaits qu'elle peut apporter. Si par exemple quelqu'un s'est lancé dans un régime qui lui réussit, vous entendrez souvent des commentaires acerbes à son propos : "C'est vrai qu'elle a perdu du poids, mais elle est trop maigre maintenant, on dirait un sac d'os !" »

J'ai déjà souligné à quel point il était important qu'un changement de régime alimentaire s'accompagne de nouvelles habitudes de vie. J'ai pour ma part complètement revu ma façon d'envisager ma vie sociale. Pour tout vous dire, je ne me reconnais pas moi-même ! Je m'arrange maintenant pour retrouver mes meilleures amies dans des activités sportives : je partage ainsi avec Katy un cours de Pilates, qui nous réussit bien mieux à l'une et à l'autre que nos anciennes soirées au pub en face de chez elle ; je joue régulièrement au tennis avec Jane, et les balades au bord de la mer avec mon amie d'enfance Julie ont remplacé nos anciennes tournées des bars miteux de Brighton. Avec Maya, je fais maintenant des soirées « dînéma » : au lieu d'aller descendre bière sur bière dans les quartiers est de Londres, nous sortons dîner avant d'aller voir un film. La boisson et la nourriture occupent toujours une place importante dans ma vie sociale, mais d'autres éléments sont venus l'enrichir.

Ce changement d'habitude est aussi en partie une question d'âge. Passé la trentaine, on se sent un peu larguée dans les boîtes à la mode fréquentées par des gamines qui pourraient presque être nos filles. Qui plus est, alors qu'une gueule de bois passait auparavant en une demi-journée, maintenant il nous faut bien un jour ou deux pour nous en remettre. Enfin, la plupart de mes amis ont des enfants en bas âge et sortent moins souvent le soir. Et s'il leur prend l'envie de faire la tournée des bars, ce n'est certainement pas à moi qu'ils penseront pour les accompagner, ce qui ne nous empêche pas de nous voir de temps en temps pour passer des moments plus calmes.

Si, dans les dîners entre amis, beaucoup s'étonnent encore de constater que je continue de suivre ce régime hypoglucidique – comme si, au bout de deux ans et après tous les articles que j'ai écrits sur le sujet, il pouvait ne s'agir que d'une lubie passagère –, il est très rare que l'on me pousse à prendre un dessert ou que l'on me demande d'expliquer mes motivations. J'imagine que les bénéfices manifestes sur mon physique et mon bien-être parlent d'eux-mêmes.

Mais dans le cas contraire, comment faire face au manque de soutien de votre entourage ? Voici une première piste suggérée par Amanda Hills : « Quand quelqu'un essaie de me persuader de faire quelque chose qui n'est pas bon pour ma santé, j'ai presque envie de lui demander s'il a lui-même peur de renoncer à quelque chose. » Si quelqu'un insiste par exemple pour vous servir une part de gâteau, retournez la situation : « J'ai comme l'impression que tu aimerais bien arrêter le sucre, toi aussi, mais que tu n'en as pas le courage. »

Si cette approche vous paraît un peu trop agressive, Amanda a d'autres suggestions pour vous aider à apprivoiser l'incompréhension et les craintes de vos amis et vos proches. « J'ai réparti en trois niveaux les stratégies de défense face à des interlocuteurs "hostiles". Le premier niveau s'adresse à vos simples connaissances, les personnes qui ne sont pas des amis proches, mais que vous êtes amené à rencontrer dans votre vie sociale. Si, lors d'une sortie commune, par exemple, vous vous sentez jugé ou si vos choix sont durement critiqués, je vous recommande de mettre les choses au point, clairement et fermement : "J'ai fait le choix de ce changement pour le moment. Je n'ai pas vraiment envie d'en expliquer les tenants et les aboutissants ce soir parce que ça n'est ni l'heure ni l'endroit, mais j'en parlerais volontiers plus longuement une autre fois si ça t'intéresse vraiment." Nul besoin de vous montrer grave ou cassant : dites-le avec le sourire, mais aussi avec conviction.

Le niveau deux concerne vos amis proches. Si vous ne les trouvez pas aussi solidaires ou bienveillants qu'ils pourraient l'être, essayez de les approcher individuellement en leur demandant simplement : "Est-ce que je peux t'expliquer ce qu'il m'arrive et pourquoi je fais ça ?" Vous constaterez qu'après une conversation franche et ouverte, où vous leur exposerez vos objectifs (que ce soit vous sentir en meilleure santé, perdre du poids ou améliorer l'aspect de votre peau), même les esprits les plus réticents peuvent finalement se montrer d'un soutien indéfectible. Dans le cas contraire, demandez-vous si cette personne se soucie réellement de votre bien-être et si l'amitié que vous lui portez en vaut vraiment la peine... Les véritables amis respectent vos décisions – surtout si elles sont sensées et mûrement réfléchies, comme lorsque vous décidez de prendre soin de votre santé.

Le niveau trois est réservé aux personnes qui partagent votre vie. Si vous trouvez qu'elles ne vous soutiennent pas suffisamment, vous aurez peut-être à exposer vos raisons à plusieurs reprises et à souligner à quel point c'est important pour vous. Gardez toujours à l'esprit que ce désir de changement est un processus intime et personnel – vous ne pouvez pas changer les autres. S'il est mal accueilli, inutile d'espérer convaincre du jour au lendemain. La seule solution est de se montrer cohérent et ferme dans sa décision. Évitez de vous mettre dans tous vos états et expliquez posément à votre famille ou à votre compagne ou compagnon que votre démarche est le résultat d'une réflexion aboutie et que vous êtes un adulte capable de faire ses propres choix. Rappelez-leur que vous avez toutes les cartes en main pour décider de l'orientation de votre vie et que vous en assumez l'entière responsabilité. Tout ce que vous attendez d'eux en retour c'est de respecter votre volonté. Soyez patient et répétez vos arguments jusqu'à ce qu'ils soient bien entendus. »

Si vous êtes parent, c'est une situation un peu plus délicate. Amanda recommande, dans ce cas-là, d'aborder la question avec beaucoup de précaution : « Je ne vous conseillerais pas d'expliquer à vos enfants le pourquoi du comment de votre décision. Veillez dans tous les cas à ne pas diaboliser le sucre. La nourriture n'est rien d'autre qu'une source d'énergie et c'est le message que vous devez leur faire passer. On ne devrait pas investir les sucreries d'une quelconque charge émotionnelle, même si c'est bien souvent le cas. La seule façon de s'en prémunir est de trouver un certain équilibre. Adopter un comportement alimentaire sain, c'est ne faire d'aucun aliment un tabou tout en restant modéré dans sa consommation. Si vous en parlez avec vos enfants, présentez toujours les choses sous l'angle de la santé. Leur apprendre quels aliments sont bienfaisants et pourquoi est, bien entendu, une bonne idée, mais évitez d'utiliser le mot "mauvais". Parlez plutôt de "bons pour la santé" ou de "moins bons pour la santé" ».

Même avec la meilleure volonté du monde et tout le soutien que vous pourriez espérer, il y aura forcément des moments où vous aurez du mal à ne pas craquer. Tout l'objet du chapitre suivant est de vous apprendre à garder la tête froide pour vous débarrasser durablement du sucre.

Chapitre 9

PETITES ASTUCES POUR TENIR LA DISTANCE

Hier, à la terrasse d'un café, je savourais un plat d'œufs brouillés, saumon fumé et champignons en observant le petit manège de la rue. J'avais prévu de travailler sur ce livre, mais je m'accordais une pause déjeuner après une bonne séance de sport. Il faisait un temps magnifique. Les Londoniens émergeaient de chez eux, éblouis par la lumière de printemps comme des taupes sortant de leur trou après un long hiver.

Tandis que je m'attardais un peu, rechignant à quitter ce beau soleil pour me remettre à la tâche, une femme s'installa à une table voisine. Juste devant nous, la vitrine du café débordait de muffins, tartes, gâteaux meringués et autres pâtisseries multicolores dont je détournais le regard pour des raisons évidentes. Lorsque le serveur s'approcha, la dame expliqua qu'elle attendait une amie, qui ne tarda pas à arriver. Elles commandèrent leurs boissons, puis la première arrivée demanda à la seconde si elle n'avait pas envie d'un gâteau. Celle-ci refusa : elle faisait attention à ce qu'elle mangeait parce qu'elle partait en vacances à Pâques. « Eh bien partageons quelque chose, en ce cas », reprit la première sans se laisser démonter. Non, répéta l'autre, elle préférait s'abstenir. Son amie esquissa une moue de déception, marmonnant le sempiternel : « Oh, je ne vais tout de même pas prendre une part à moi toute seule, ça ferait trop… Partageons un petit brownie, alors ! » De guerre lasse, son amie finit par acquiescer, se laissant forcer la main par ce petit despote gourmand que deux « non » fermes n'avaient pas suffi à décourager.

Je raconte cette anecdote car le but de ce chapitre est précisément d'apprendre à dire « non » pour prévenir toute rechute. Notre environnement quotidien est en effet semé d'embûches : gâteaux, biscuits, chips, yaourts aromatisés, barres chocolatées, sodas, boissons alcoolisées, fruits, smoothies, milk-shakes, pâtes, crèmes glacées, riz blanc, édulcorants, pain, ketchup, pâtisseries, sucres de table, plats tout prêts, fruits secs, miel, céréales, desserts, bonbons, sauces, sirops, plats à emporter, barres de céréales, sandwichs, sirop d'agave, pizzas, confitures et pâtes à tartiner... La liste serait encore longue, mais tous ses produits ont en commun qu'ils ont le don de nous mettre l'eau à la bouche. Du coup, notre consommation de sucre ne cesse de gagner du terrain : les Français, adolescents et jeunes adultes en tête, ne boivent pas moins de 66 litres de boissons sucrées par an et par habitant – contre 93 litres pour les Britanniques ; au rayon chocolat, avec 6,3 kg par personne et par an, nous n'occupons que le dixième rang mondial, loin derrière le Royaume-Uni où, en 2012, la consommation annuelle atteignait 9,5 kg par habitant, soit l'équivalent de 211 barres chocolatées !

Si vous vous reconnaissez dans ces statistiques, j'ai une mauvaise nouvelle à vous annoncer : vous allez devoir arrêter de manger si souvent des douceurs. Ce n'est pas moi qui le dis, mais l'Organisation mondiale de la santé, qui prévoit de réduire de moitié les apports quotidiens recommandés en sucre. Les autorités sanitaires sont en effet persuadées que, non content de nous faire grossir et d'abîmer nos dents, le sucre est responsable de nombreuses pathologies. Pour retrouver forme, santé et beauté, il est donc indispensable de le chasser de notre alimentation.

Je sais bien que l'idée ne vous emballe pas. À moins d'être maso, la perspective de se priver d'une chose qu'on aime n'a rien de réjouissant. On a beau connaître tous les bienfaits de la réduction du sucre, le pas reste difficile à franchir. Il implique de renoncer à un plaisir immédiat pour se concentrer sur des bénéfices à long terme. S'abstenir de jus de fruits et de céréales le matin pour retrouver un teint rayonnant dans trois mois : c'est le genre de choix très concret qui s'offre à vous.

Les psychologues estiment que tout processus de changement se fait par étapes. Nous traversons tous ces différents stades – et je suis bien placée pour en parler – avant de décider ou non d'adopter de nouvelles habitudes de vie plus saines. « Tout changement comportemental suit un certain modèle, explique Amanda Hills. Il y a plus de trente ans, deux spécialistes de la dépendance alcoolique, Carlo Di Clemente et James Prochaska, ont constaté que les sujets qui souhaitaient modifier un aspect de leur vie passaient tous par plusieurs phases psychologiques avant de faire le saut.

Le premier stade est celui de la pré-intention. Prenons un exemple : à une certaine époque, je fumais quelques cigarettes par semaine. Puis j'ai commencé le yoga. Tout en prenant de profondes inspirations, j'ai commencé à me concentrer sur ces petites merveilles que sont mes poumons et à prendre conscience de la chance que j'avais de posséder un corps si perfectionné. Bien sûr, je savais qu'il y avait du goudron dans les cigarettes, mais lors de mes séances de yoga, je me suis mise à le visualiser s'agglutinant dans mes poumons. Pour moi, la pré-intention a donc consisté à me dire : "Je n'ai plus envie de fumer." La personne qui souhaiterait arrêter le sucre pourrait visualiser la façon dont cette substance accélère, de l'intérieur, le vieillissement de sa peau ou dérègle son équilibre hormonal. Elle pourrait se voir prendre du poids avec l'âge ou même tomber malade. Être au stade de la pré-intention ne signifie pas qu'on est prêt à changer ou abandonner une mauvaise habitude, mais témoigne d'une prise de conscience. »

Puisque vous lisez ce livre, vous en êtes manifestement déjà à ce stade. Dans mon cas, cette prise de conscience s'est faite très rapidement – en l'espace de quelques heures à peine. En réfléchissant à mon alimentation, je me suis rendu compte de la quantité astronomique d'aliments sucrés que j'avalais quotidiennement et j'ai eu un véritable déclic : le sucre était peut-être à l'origine d'une bonne part de mon mal-être physique et psychologique.

« Le deuxième stade correspond à l'intention, poursuit Amanda. C'est le moment où vous commencez à envisager le changement, où vous vous demandez à quoi ressemblerait votre vie si vous arrêtiez. Vous élaborez des scénarios, en imaginant une journée sans sucre, par exemple. Vous évaluez la faisabilité du changement et vos capacités à le mettre en œuvre. Vous vous placez mentalement dans certaines situations en vous mettant dans la peau de quelqu'un qui ne boit pas d'alcool et refuse toutes les cochonneries. Bientôt, vous vous surprendrez à chercher parmi vos amis et connaissances ceux et celles qui seront vos meilleurs soutiens et accepteront le mieux votre nouvelle hygiène de vie ; et, *a contrario*, vous songerez aussi aux lieux et aux personnes qu'il vous faudra éviter : "Je pourrais sortir avec X et Y puisqu'ils ne boivent pas, mais ce serait plus compliqué avec Z, qui est un fêtard dans l'âme." »

Dans mon cas, cette phase d'intention s'est traduite par des réactions relativement puériles : je me prenais à regretter de n'avoir jamais assisté à la fête de la Bière à Munich, et je me lamentais à l'idée de ne plus jamais partager une bière sur la plage avec une amie. Les spécialistes soulignent toutefois que l'on a tendance à se faire des scénarios beaucoup plus pessimistes que ce qui pourrait vraiment arriver. En d'autres termes, nous sous-estimons les « pour » et surestimons les « contre ». En fait, je pourrais très bien, si je le voulais vraiment, siroter à nouveau une Bikini Blonde sur la plage avec une copine. Et même si je décidais effectivement de passer mon tour pour la bière, rien ne m'empêcherait de vivre une soirée mémorable, assise sur le sable au clair de lune. Entre ma majorité et mes trente-trois ans, âge auquel j'ai décidé d'arrêter le sucre, j'ai eu quinze longues années pour aller à l'Oktoberfest de Munich. Si je ne l'ai pas fait, c'est sans doute parce que je n'en ai jamais eu vraiment envie. Allez donc savoir pourquoi, dans ma phase d'intention, ce festival me paraissait subitement une perte insurmontable !

« Le troisième stade est celui de la préparation, ou détermination. Vous êtes maintenant prêt à vous lancer. Cela ne veut pas dire que vous réussirez dès le premier coup – en réalité, la plupart des gens connaissent une ou même plusieurs rechutes. »

Être bien préparé est indéniablement l'un des grands secrets de la réussite. Cette préparation a consisté dans mon cas à chasser jusqu'au dernier grain de sucre de mes placards. Je me mettais en condition, supprimant autant de tentations que possible. Le lendemain, je me retrouvai toutefois à chercher au fond de la poubelle une bouteille de sirop que j'avais jetée un peu plus tôt. Il n'y avait certes pas mort d'homme, et je ne qualifierais même pas cet instant d'égarement de rechute, mais c'était probablement une étape décisive sur la voie du changement. Les psychologues soulignent que c'est à ce stade du processus que le soutien des proches est déterminant. J'ai pour ma part révélé ma décision d'arrêter le sucre à mes collègues, qui m'ont aidée à tenir le coup.

« Puis vient le temps de l'action. Comme son nom l'indique, cette phase est celle de la mise en œuvre des stratégies de changement – donc, vous avez renoncé au sucre (ou au tabac). »

Les spécialistes s'accordent à dire que ce stade dure bien six mois après avoir initié le changement – ici, l'arrêt du sucre. Cette phase d'action doit être l'occasion de vous récompenser régulièrement afin de renforcer votre conviction que vous avez pris la bonne décision. En abandonnant le sucre, ma récompense a été de voir émerger progressivement une Nicole en meilleure forme et mieux dans sa peau. Si vous avez besoin d'une motivation supplémentaire, essayez ma méthode personnelle : enrichissez votre garde-robe de vêtements à votre nouvelle taille. J'ai toujours été accro au shopping. Pour mes treize ans, j'ai demandé de l'argent pour aller acheter moi-même mon cadeau. Aussitôt reçu, mon butin d'anniversaire s'évapora au centre commercial du coin dans un sac Benetton et un ensemble de lingerie Calvin Klein. C'était toujours mieux, me direz-vous, que le cadeau que j'avais voulu me faire pour mes douze ans en suppliant mes parents de me laisser faire une permanente : oh, pour ça, j'avais une tignasse bien frisée ! Le seul hic, c'était que la coiffeuse avait aussi permanenté ma frange… Je fis grande impression – mais pas exactement comme je l'avais espéré.

Si vous êtes en panne d'idées pour vous donner du baume au cœur, accordez-vous une petite séance de shopping. Que votre budget soit dans la gamme Monoprix ou dans la gamme Prada, il n'y aura pas mieux pour récompenser vos efforts, car vos achats auront en plus le mérite d'être réellement utiles : sans avoir l'impression d'« être au régime », vous verrez que vous perdrez très rapidement une ou deux tailles.

« Vous passez enfin à la phase de maintien, conclut Amanda. Si vous en êtes arrivé là, c'est que vous avez réussi à changer. Vous avez inscrit votre nouveau comportement dans la durée. Les écarts restent toutefois fréquents à ce stade car, après tout, l'erreur est humaine. »

Vous ne pourrez vraiment atteindre cette étape qu'après avoir passé le cap des six mois. Même après cela, il est recommandé d'éviter certaines situations à risque – ce qui est plus ou moins facile selon la nature de votre addiction. Étant donné que les rayons des supermarchés débordent de produits à haute teneur en sucres raffinés, le simple fait de faire ses courses peut devenir un enfer. Vous savez que votre organisme renoncera bien plus facilement au sucre que votre cerveau. Je vous ai déjà raconté comment, aux premiers jours de ma détox, je devais prendre sur moi pour ne pas quémander une gorgée quand je croisais quelqu'un avec une canette de Coca à la main. Mon esprit était toujours obsédé par le sucre, alors même que je n'étais plus taraudée par aucune pulsion sucrée depuis un bon moment, et longtemps après que j'eus constaté les premiers effets positifs de mon sevrage sur mon tonus, ma silhouette et ma peau. Il est très difficile de faire taire définitivement cette petite voix intérieure qui vous pousse sans cesse à prendre un biscuit (« Allez, juste un, ça ne peut pas faire de mal ! »). Cela étant, sachez qu'un écart de temps en temps – aussi spectaculaire soit-il ! – n'a rien de dramatique. Je dirais même qu'il vaut mieux s'autoriser parfois quelque chose qui fait vraiment envie, savourer ce plaisir et accepter qu'il s'agisse d'une entorse exceptionnelle à votre régime.

Si vous mangez encore beaucoup de sucre à ce jour et vous sentez fortement dépendant, vous constaterez, à mesure que vous réduirez votre consommation, que la tentation surgit parfois à l'improviste. Au moment où vous vous y attendez le moins, vous croisez au détour d'une rue un passant léchant un cornet de glace au chocolat et soudain vous n'avez plus qu'une idée en tête : acheter un cornet de glace au chocolat. C'est ce qui m'est arrivé pas plus tard qu'hier à Brighton, par une belle journée ensoleillée, même si j'ai réussi à ne pas succomber. Parfois, cette envie irrépressible de manger quelque chose de sucré s'insinue lentement en vous. Peut-être traversez-vous une mauvaise passe au travail ou à la maison, à moins que vous n'ayez des soucis de santé ou financiers. Vous vous êtes efforcé de faire face, de ne pas vous laisser abattre, et puis cela vous tombe dessus sans crier gare : il vous *faut* du sucre. Cela arrive aux meilleurs d'entre nous.

Au lieu de m'imposer une ligne de conduite trop stricte qui m'interdirait à jamais de céder à quelque chose qui me fait envie, je trouve plus judicieux de me dire que je peux occasionnellement manger un aliment sucré, tout en retrouvant sitôt après mes habitudes alimentaires plus saines et sans que cela porte à conséquence. Je suis convaincue de l'importance de ne pas être trop dur avec soi-même, en toutes circonstances et particulièrement pendant cette période de changement. Soyez votre meilleur allié. Je ne crois pas à l'efficacité des régimes yo-yo qui vous autorisent à manger certains aliments un jour pour vous en priver le lendemain (à moins qu'il s'agisse du régime 5-2 qui, en alternant 5 jours plaisir et 2 jours stricts, semble faire ses preuves, mais ne proscrit aucun produit précis). Une telle approche serait en tout cas clairement vouée à l'échec dans le cadre d'un régime hypoglucidique, tout simplement parce qu'il faut beaucoup de temps pour réussir à se libérer de ses envies de sucre. C'est pourquoi je ne me suis jamais prévu de jour « off » pendant lequel j'aurais droit à tout ce que je veux, comme le font certains. Je trouve contre-productif de manger régulièrement ces aliments que j'aimais tant et dont je m'efforce précisément de me sevrer. Faire une exception lors d'un bon repas tous les quinze jours, par exemple, ne pose aucun problème. Mais tous les deux jours ? Ce n'est plus vraiment ce que j'appellerais un écart…

Même si je vous ai chanté tout au long de ce livre les louanges de mon alimentation hypoglucidique, je ne suis pas à l'abri d'un dérapage. Il m'arrive, par exemple, de prendre un verre de bon vin rouge – bio, si possible, car il contient moins de sulfites (un conservateur). J'essaye de ne m'accorder ces plaisirs exceptionnels que lorsque la situation s'y prête vraiment et que je suis dans un bon état d'esprit – et non, par exemple, parce que j'ai eu une sale journée au boulot ou que je viens de me disputer avec quelqu'un. Cela m'a coûté beaucoup d'efforts de ne plus ressentir le besoin de compenser en mangeant à la moindre contrariété et je n'ai aucune envie de réveiller mes vieux démons.

Je peux donc me laisser tenter par un verre de vin quand je sors avec mes amis ou au restaurant, simplement parce que ça me fait plaisir et que je suis capable de l'apprécier. C'est en soi une sensation très libératrice. De même, ce ne sera pas la fin du monde si vous vous régalez un soir d'une omelette norvégienne (bien qu'après quelques semaines de votre nouveau régime, je vous garantis que la simple idée d'avaler un tel concentré de sucres vous fera grincer des dents !).

Ce qui est important quand on craque (ce qui nous arrive à tous, car nous ne sommes pas de bois), c'est de passer rapidement à autre chose et de ne pas en faire tout un plat – si j'ose dire. Ne pensez pas que vous venez de ruiner tous vos efforts simplement parce que vous avez succombé à deux boules de glace. Ne vous sentez pas coupable – s'il y a bien une chose que j'espère vous avoir apprise dans ce livre, c'est que la nourriture ne devrait pas être investie d'une quelconque charge émotive. Une fois avalée – et surtout savourée – votre petite douceur, reprenez votre résolution de limiter le sucre au maximum.

Essayez toutefois de ne pas dévier trop longtemps de vos bonnes habitudes – en mangeant des aliments sucrés trois fois par jour pendant toute votre semaine de vos vacances, par exemple. Une fois que votre organisme se sera réhabitué à tout ce sucre, vous devrez probablement en repasser par le douloureux processus de sevrage, ce qui n'est pas souhaitable. Si cela devait arriver, eh bien, tant pis, ce sera juste un peu plus difficile pour vous.

Ian Marber est persuadé que notre attirance pour les sucreries s'explique en grande partie par le fait que nous en mangeons si souvent : « Il existe, bien entendu, des pulsions biochimiques qui nous orientent naturellement vers les aliments sucrés, mais je crois qu'une grande part de notre désir nous vient de l'habitude. Essayez d'avaler un de ces desserts industriels saturés de sucre après quelques jours d'abstinence : vous trouverez cela abominable. Vous aurez l'impression d'avoir la bouche en feu. En mangeant régulièrement ce genre d'aliments, nous habituons au contraire notre palais, qui y devient insensible. Si vous arrêtez le sucre quelque temps, vos papilles se réveilleront et vous n'aurez plus la même perception de ce qui est sucré et ce qui ne l'est pas. Vous n'apprécierez plus autant ces aliments concentrés en sucre. »

L'analyse d'Ian Marber m'a rappelé ma première expérience avec l'alcool. Vous souvenez-vous de votre première gorgée ? Pour moi, c'était au club d'aviron de mon père. J'étais très jeune et j'avais voulu goûter à la bière : j'ai trouvé ça infect. Je n'arrivais pas à comprendre comment autant de gens pouvaient en boire si souvent et par pintes entières, qui plus est. S'il y avait une chose dont j'étais bien sûre, c'est que je ne boirais jamais à cette fontaine, et pourtant... Souvenons-nous aussi de Jane qui, ayant renoncé au Coca Light quelque temps, en trouva le goût abominable lorsqu'elle se risqua à y retremper les lèvres. Elle avait du mal à croire qu'elle ait pu un jour en descendre canette sur canette. Elle ne doute pourtant pas qu'elle aurait pu se réaccoutumer à son goût si sucré et son caractère pétillant jusqu'à l'apprécier à nouveau.

Rappelons également qu'il est beaucoup plus difficile de se défaire d'habitudes bien ancrées que de s'en créer de nouvelles. On sait que les automatismes qui se forment dans notre cerveau par la répétition d'un comportement s'atténuent si l'on cesse de les solliciter quelque temps, mais ne disparaissent jamais complètement. Ce qui signifie, aussi rageant que cela puisse paraître, qu'ils peuvent être « réactivés » à tout moment. Si vous avez déjà essayé d'arrêter de fumer, c'est un phénomène que vous avez sans doute expérimenté : vous aurez eu beau vous abstenir pendant un an, il vous suffira d'une seule cigarette pour voir votre ancien penchant ressurgir au galop.

« Les habitudes et les pulsions sont souvent symptomatiques d'un problème plus vaste que l'addiction elle-même, précise Ian Marber. Imaginez par exemple que vous ayez une amie d'une vingtaine d'années qui ne parvienne pas à gérer son argent. Elle se met à découvert, dépasse le plafond autorisé de ses cartes de crédit et n'a plus d'autre choix que de solliciter l'aide de ses parents. Ces derniers tirent leur fille de ce mauvais pas en espérant que cela lui servira de leçon. La jeune femme jure ses grands dieux qu'on ne l'y reprendra pas, mais quelque temps plus tard, elle se retrouve à nouveau dans le rouge, puis encore et encore. Vous en déduirez peut-être que votre amie n'a pas tant un problème avec l'argent qu'avec le fait d'être indépendante, adulte et responsable, que si elle emprunte constamment à ses parents, c'est qu'elle n'arrive pas à couper le cordon et cherche inconsciemment à rester sous leur aile. C'est le même principe avec la nourriture. Si vous faites des excès, prenez beaucoup de poids, puis vous efforcez de le perdre pour tout reprendre à nouveau, c'est sans doute que vous avez un problème plus profond. Vous vous enfermez dans ce cercle vicieux de punition-récompense sans traiter la véritable source de vos difficultés, qui n'est sans doute pas la nourriture même. Nos comportements alimentaires sont devenus si multifactoriels que, contrairement à ce que l'on voudrait croire, la biochimie n'a plus grand-chose à y voir. »

Comment, dès lors, sortir de ce piège ? Eh bien, puisqu'il est précisément plus facile de se créer de nouvelles habitudes, c'est exactement ce que vous allez faire en mettant en place un « schéma parallèle ». Vous devez pour cela identifier les situations qui déclenchent les automatismes que vous souhaitez remplacer. Si vous savez, par exemple, que vous aurez systématiquement envie de sucreries à 16 heures, anticipez et prévoyez quelques fruits à coque, du hoummous et des crudités. Si vous avez l'habitude de « manger vos émotions » et de vous précipiter sur du chocolat pour évacuer le stress de la journée, essayez plutôt de vous mettre au sport pour relâcher un peu la pression. Si j'avais lu cela il y a deux ans, j'aurais certainement levé les yeux au ciel en pensant que grignoter et se dépenser sont deux choses totalement différentes, l'effort demandé pour ouvrir son placard n'étant pas comparable à ceux qu'implique une séance de sport. Mais je vous assure que l'exercice peut véritablement remplacer vos friandises et, si vous suivez ce modèle quelques semaines, il deviendra pour vous une seconde nature. Quand l'ennui ou le stress se feront sentir, votre réflexe sera maintenant de filer à la salle de sport, plutôt que de vous jeter sur la première sucrerie venue.

Les spécialistes sont de plus en plus nombreux à penser que les accidents de parcours font partie intégrante du processus de changement et peuvent même s'avérer utiles. C'est une théorie que j'ai découverte pour la première fois à l'été 2010 sous la plume de la journaliste Kat McGowan, dans un article du magazine *Psychology Today*. L'auteur y affirme que « la récidive est la règle, et non l'exception ». Bien qu'il y ait plus de 48 millions d'anciens fumeurs aux États-Unis, poursuit-elle, entre 60 % et 90 % des personnes qui essaient d'abandonner la cigarette en grillent une dans l'année qui suit leur arrêt du tabac. Environ 80 % des alcooliques traités pour leur dépendance replongent au moins une fois dans la boisson. « Dans leurs efforts pour changer un comportement profondément ancré en eux – qu'il s'agisse de perdre du poids ou de vaincre une addiction à une drogue dure –, rares sont les individus qui réussissent parfaitement du premier coup, résume-t-elle. Pour la plupart, le changement est un processus long et sinueux. » Cette « nouvelle approche psychologique de l'addiction, rapporte l'article, reconnaît que la rechute est malheureusement extrêmement fréquente, mais qu'elle peut n'être qu'un simple faux pas sur la voie de la guérison. Convenablement gérée, elle pourrait même être la clé d'un succès durable ».

L'article cite également G. Alan Marlatt, éminent psychologue et auteur de *Prévention de la rechute*, qui était alors enseignant-chercheur à l'université de Washington. Cet addictologue, décédé en 2011, distinguait deux types de rechutes : la rechute brève, c'est-à-dire l'accident de parcours ou l'écart, et la rechute complète ou durable. La première devant, selon lui, être prise comme un avertissement et non comme un échec total. « G. Alan Marlatt a très tôt souligné qu'un raisonnement trop manichéen peut conduire les patients à transformer leurs simples écarts en véritables rechutes, écrit Kat McGowan. Il suffit parfois d'une petite gorgée à un alcoolique en rémission pour qu'il jette l'éponge. De même, on verra une ancienne fumeuse se racheter un paquet sous prétexte qu'elle a tout fait capoter en tirant quelques bouffées sur la cigarette d'un ami ou en s'en allumant une autre. Cet "effet de violation de l'abstinence", comme l'appelle Marlatt, consiste à penser que tout ce qui n'est pas parfait est forcément synonyme d'échec. Il induit l'abstinent à croire qu'il n'a pas la volonté nécessaire pour décrocher.

Marlatt préconise au contraire de voir ces écarts comme des erreurs et non des défaites. Au lieu de se laisser ronger par sa culpabilité, l'abstinent est invité à analyser les circonstances de son accident de parcours. Quel en a été le facteur déclenchant ? Qu'a-t-il ressenti ? S'était-il passé quelque chose de particulier ce jour-là ?

Qui l'accompagnait ? Le but est d'apprendre de ses erreurs, indique G. Alan Marlatt. L'idée c'est de se dire : "Soit, tu as dérapé. Mais que peux-tu changer pour que cela ne se reproduise pas ?" Dans cet état d'esprit, le patient peut apprendre à identifier les situations à risque, il peut tirer parti de ses récidives et voir au-delà. »

Autrement dit, si vous vous retrouvez comme moi un jour à siroter un cocktail à 3 heures de l'après-midi avant d'enchaîner sur un verre de vin rouge et un grand bol de frites mayonnaise, dites-vous bien que ce n'est pas la fin du monde. Relativisez et voyez cet incident pour ce qu'il est : une sortie de route passagère sur laquelle il ne sert à rien de s'attarder et qui n'annihile en aucun cas tous les efforts que vous avez faits jusque-là.

Kat McGowan explique ensuite que si la rechute n'est pas nécessairement synonyme d'échec, la clé de la réussite n'en reste pas moins la prévention et la mise en place de stratégies qui aideront l'abstinent à faire face aux situations à risque : « Les patients qui ont développé une stratégie pour gérer leurs pulsions ont vingt-cinq fois plus de chance de résister à la tentation que ceux qui essayent simplement de refouler leur envie. » L'article cite quelques exemples de stratégies gagnantes :

L'anticipation

Réfléchissez aux moyens de faire taire ou de ne pas provoquer votre habitude et identifiez les situations qui pourraient vous poser problème. Vous pouvez par exemple éviter le marchand de journaux où vous achetiez ordinairement vos barres chocolatées, faire vos courses en ligne au lieu de parcourir les allées du supermarché ou réserver à l'avance dans un restaurant qui propose des plats hypoglucidiques si vous sortez dîner.

Les astuces cognitives

Lorsque vous sentez l'envie monter en vous, « détachez-vous mentalement de votre pulsion en visualisant votre désir telle une vague qui monte puis retombe ».

La détermination d'objectifs valorisants

Faites une croix sur le cocktail pour pouvoir vous pavaner en bikini sur la plage cet été. Renoncez au dessert pour retrouver votre énergie et apprécier à nouveau les activités de plein air.

Ce dernier point en particulier est, selon Amanda Hills, essentiel pour garder sa résolution intacte. « La motivation est le secret de la réussite. Ressentir les bénéfices de votre nouveau mode de vie sur votre physique, votre santé, votre vitalité ou votre bien-être général vous donnera l'élan nécessaire pour persévérer. Dans le cas d'un régime hypoglucidique, quand vous commencerez à éprouver un regain d'énergie et à perdre du poids, quand vous constaterez que votre teint, votre regard et vos cheveux ont retrouvé leur éclat, que vous serez moins stressé et moins sujet aux sautes d'humeur, vous n'aurez plus autant envie de craquer pour des aliments riches en sucre. L'homme est ainsi fait qu'il a constamment besoin de récompenses, mais ces changements positifs comblent largement cette attente. Ce qui vous motive, c'est votre désir de ne pas revenir en arrière. Et si jamais vous faites une erreur de parcours en forçant par exemple un soir sur les cocktails, vous réveiller avec une épouvantable gueule de bois ne fera que renforcer votre conviction que vous avez fait le bon choix en y renonçant et en modifiant votre façon de vous récompenser. »

Je me reconnais complètement dans cette analyse. Si je ne fréquente pas assidûment la salle de gym, le sport, ou ce que j'appelle « la relaxation active » – yoga, Pilates, natation – est devenu une composante importante de ma vie. Avant ma détox, je me sentais fatiguée dès le réveil et traînais au lit aussi longtemps que je le pouvais sans me mettre en retard (ou déraisonnablement en retard) au travail. Aujourd'hui, me lever tôt ne me dérange plus. Je me prévois souvent un peu d'exercice dès le saut du lit, que ce soit un cours en salle avant de filer au bureau ou quelques postures de yoga dans mon salon avant le petit déjeuner. Ne croyez pas que je mène une vie d'ascète : j'adore ça et, vous verrez, vous aussi y prendrez goût. Bien sûr, il m'arrive d'avoir du mal à m'extirper de sous ma couette, mais une fois que je suis lancée, ce n'est que du bonheur, et je sais que cette petite heure me donnera la pêche pour le reste de la journée ! Il n'y a d'ailleurs rien de tel pour vous passer l'envie de boire toute une soirée qu'un rendez-vous matinal pour lequel vous ne pourrez pas vous défiler.

Si vous avez peur de manquer de motivation ou n'êtes pas particulièrement matinal, essayez de trouver quelqu'un avec qui vous exercer. C'est ce que je fais très souvent en allant suivre le cours d'un des coachs de la salle de sport de Bodyism ou en rejoignant Holly Pannett pour un entraînement personnalisé. Je peux aussi retrouver mon amie Ruth pour une petite séance de fitness ou aller courir autour du parc avec Sam. Savoir que quelqu'un d'autre a fait l'effort de se tirer du lit pour vous voir vous poussera forcément à sauter dans votre tenue de sport, ne serait-ce que pour ne pas culpabiliser.

Un dernier conseil pour tenir la distance : rappelez-vous que vos succès comme vos échecs ne dépendent que de vous et que vous avez tout à gagner à mettre fin à ce « sucrilège » !

Chapitre 10

L'AVENIR EST AU SANS SUCRE

Il y a quelques jours, lors d'un dîner professionnel, une femme que je rencontrais pour la première fois m'a demandé mon âge. Lorsque je lui ai dit que j'avais trente-cinq ans, elle a semblé surprise et s'est tournée vers sa voisine en s'exclamant : « Nicole pourrait facilement avoir dix ans de moins, elle a un teint magnifique ! » Elle exagérait sans doute un peu et la lumière tamisée du restaurant jouait en ma faveur – je ne crois pas paraître plus jeune que je ne le suis –, mais qu'importe : je venais de recevoir un compliment sur ma peau ! J'étais aux anges. Il y a deux ans, une telle chose ne se serait jamais produite, et pour cause : mon visage était rougi, irrité et congestionné.

En 2012, j'étais mal dans ma peau, stressée, lunatique, complexée par mes kilos en trop et ma peau boutonneuse. Je me sentais constamment fatiguée et mal fichue. Mais j'étais loin de m'imaginer que je m'infligeais tous ces tourments par mes (mauvais) choix alimentaires. Je mettais tout cela sur le compte du surmenage, d'une rupture amoureuse difficile ou même de mon anomalie cardiaque – autant de facteurs dont je ne pouvais pas être entièrement tenue pour responsable. Il fallait que je travaille pour rembourser mon crédit et qu'est-ce que j'y pouvais, moi, si ma vie sentimentale était compliquée ? Et puis ce n'était tout de même pas ma faute si je souffrais d'une malformation ! Je me sentais accablée. J'étais toujours inquiète, toujours anxieuse, méfiante et sur la défensive. Il me semblait avoir perdu le contrôle de mon existence, et plus encore, du reste…

Jusqu'au jour où je me suis réveillée et j'ai décidé de reprendre ma vie en main. J'ai enfin compris que la seule personne qui avait le pouvoir de remédier à une bonne partie de mes malheurs, c'était moi. Cela n'avait aucun sens de me cacher derrière tout un tas d'excuses en prétendant que je ne pouvais rien y faire, si j'étais enrobée – évidemment que si, j'y pouvais quelque chose ! Car c'était bien mon poids qui me dérangeait le plus. Pas seulement pour ma silhouette (bien que j'accorde sans doute plus d'importance à mon physique que je ne voudrais l'admettre) mais aussi pour ma santé. Nous savons tous que le surpoids est la cause de plusieurs maladies, et avec mon anomalie cardiaque, je devais prendre particulièrement soin de moi. Quelques kilos en trop n'ont certes jamais tué personne, mais l'épidémie d'obésité ne cesse de s'aggraver et pèse de plus en plus lourdement sur nos systèmes de santé.

J'ai donc tout simplement regardé la vérité – et mon assiette – en face, identifié le problème et décidé d'y remédier. J'y suis arrivée, parce que je le voulais vraiment. J'étais déterminée à aller jusqu'au bout, car je savais maintenant que réduire sa consommation de sucre est un moyen efficace et durable d'améliorer sa santé, ce qui était précisément mon but. Je ne suis ni nutritionniste ni experte en diététique et je ne voulais pas m'astreindre à quelque chose de trop compliqué ou qui m'aurait empêchée de sortir dîner ou déjeuner, par exemple. Je n'avais pas plus envie de me lancer dans un programme qui n'aurait eu d'autre but que me faire perdre rapidement quelques centimètres de tour de taille sans aucun effet bénéfique à long terme. J'espérais que ce régime hypoglucidique me réussirait.

Je n'ai pas été déçue. J'ai obtenu des résultats visibles en quelques jours. Après avoir retrouvé un regard éclatant et pétillant, ma taille a commencé à s'affiner. J'ai redécouvert mes sensations gustatives et olfactives, j'avais une peau plus nette. Je ne vous refais pas toute l'histoire, vous avez lu les chapitres précédents.

Si, comme je l'étais, vous êtes un gros mangeur de sucre, je peux vous garantir qu'en décrochant, vous aurez l'impression de revivre. Vous vous sentirez plus énergique et plus léger en l'espace de quelques semaines. J'ai beaucoup parlé de poids dans ce livre, ce qui est assez paradoxal puisque c'était un sujet que je n'abordais quasiment pas il y a à peine deux ans. Je n'en parlais jamais avec mes amis ou mes amoureux, car je trouve qu'il n'y a rien de plus barbant que quelqu'un qui se plaint de son apparence. D'ailleurs, je n'étais pas vraiment grosse : je portais du 44 mais mesurais 1,78 mètre. Personne ne m'a jamais vue me départir de mon assurance de façade, pas même les gens qui ont partagé mon quotidien pendant des années. À part ma famille et moi-même, je trompais tout mon petit monde.

Depuis que j'ai arrêté le sucre, ma vie a complètement changé. Je ne suis pas tout à fait la même, ni pire ni meilleure, mais différente. Et je suis beaucoup plus heureuse comme ça.

Je ne voudrais pas vous donner l'impression que je cherche à vous embrigader dans quelque secte douteuse, mais peut-être avez-vous reconnu dans mon histoire un aspect de votre vie que vous aimeriez changer. Peut-être en avez-vous assez de vous sentir malade et fatigué ou de souffrir de problèmes de peau et de dérèglements hormonaux ? Peut-être avez-vous envie de perdre quelques kilos rebelles. Si votre alimentation ressemble à celle qui a longtemps été la mienne, c'est-à-dire céréales riches en sucres et jus de fruits le matin, pain ou riz le midi et pâtes ou autre aliment à indice glycémique élevé le soir – sans oublier quelques « remontants » bien sucrés pour vous rebooster dans la journée –, vous savez ce qu'il vous reste à faire.

Sachez cependant qu'il n'y a pas de remède miracle : pour obtenir des résultats, il vous faudra faire preuve de discipline et de persévérance ; vous préparer des repas maison et consommer davantage de protéines (en misant sur les œufs et les mille et une façons de les accommoder) ; bousculer vos habitudes et explorer des rayons inconnus de votre supermarché. En un mot, être curieux et vous laisser surprendre par le goût de la kacha, du grué de cacao ou de la purée d'amandes. Vous découvrirez ainsi qu'il existe des olives d'un magnifique vert émeraude, grosses comme des noix, dont la saveur incomparable mettra vos papilles en émoi, ou que l'on peut faire de délicieux gâteaux avec des haricots noirs. Envisagez votre nouveau régime comme une opportunité et non comme un calvaire.

Seule ombre au tableau : tout cela a un coût. Les plats préparés et les aliments transformés ont l'avantage d'être plutôt bon marché, en particulier si vous n'avez qu'une bouche à nourrir.

Mais il reste parfaitement possible de suivre un régime hypoglucidique sans se ruiner. Le tarka dal de Holly (voir p. 149) revient à moins de 9 euros pour quatre personnes. Pour cette somme, vous aurez de quoi partager un bon repas entre amis ou faire trois repas en solo. Si vous trouvez que la viande bio est trop onéreuse, rabattez-vous sur la viande d'animaux élevés en plein air. Si cela est encore trop cher, faites tout simplement au mieux et selon vos moyens. Personne n'est là pour vous juger.

Et les amis dans tout ça ? Vous êtes sans doute curieux de savoir si, au bout de deux ans, ma vie sociale a survécu à l'épreuve du « sans sucre ». Je vous rassure : la réponse est oui. De nombreux amis continuent de s'étonner que je ne mange pas de sucre : « Comment, tu suis *toujours* ce régime ! » s'exclament *encore* certains quand ils me voient, au restaurant, esquiver le premier verre de vin ou la corbeille de pain. Mais aujourd'hui, beaucoup me félicitent et me confient même parfois qu'ils aimeraient en faire autant.

Le mouvement prend effectivement de l'ampleur et fait de plus en plus d'émules. La surconsommation de sucre a fait couler beaucoup d'encre ces dernières années et l'opinion est plus sensibilisée à la question. Au printemps dernier, l'un des plus grands quotidiens nationaux britanniques a même distribué gratuitement un petit guide de poche pour aider les consommateurs à s'y retrouver dans la teneur en sucre des aliments et à remplir plus judicieusement leur chariot de courses. Nous prenons petit à petit conscience de la quasi-omniprésence des sucres ajoutés, à outrance, dans nos aliments – et c'est un choc.

Il n'y a pas si longtemps, personne n'aurait imaginé un bar ou un restaurant sans tabac. À l'époque où les voyageurs grillaient encore leur cigarette dans le métro en allant au travail ou réservaient leur place dans l'« espace fumeurs » d'un avion pour partir en vacances, la consommation de tabac semblait un passe-temps tout à fait respectable qu'aucun homme politique ou législateur n'aurait pu remettre en cause. Quand j'ai commencé à travailler dans la presse en 2003, les journalistes avaient même encore le droit de fumer à leur bureau après 18 heures (le reste du temps, ils s'agglutinaient dans la cage d'escalier, où un épais brouillard accueillait les quelques courageux essoufflés qui, comme moi, préféraient monter les cinq étages à pied que prendre l'ascenseur). La cigarette avait tous les droits, et celui qui osait s'en plaindre ne pouvait être qu'un dangereux « hygiéniste » aussitôt taxé d'ingérence et d'entrave aux libertés individuelles. La nocivité du tabagisme actif et passif avait beau être parfaitement connue et démontrée, les législateurs ont longtemps hésité à sévir. Puis en 2007, la loi instaura finalement l'interdiction de fumer dans les lieux publics au Royaume-Uni comme en France. Les bienfaits de cette législation ne se firent pas attendre : la consommation de tabac dégringola et, avec elle, le nombre de patients hospitalisés pour crises d'asthme ou infarctus.

Il n'est plus besoin de s'échiner à trouver un bar ou une cantine non-fumeurs, puisque c'est devenu la norme. Personne ne songerait de nos jours à allumer une cigarette dans un centre commercial, pas plus qu'un conducteur de taxi ne se risquerait à enfumer sans ménagement ses passagers. Et le temps nous paraît déjà loin où, de retour d'une sortie nocturne, nous fourrions tous nos vêtements directement à la machine tant ils empestaient le tabac.

Il y a quelques années, je suis allée rendre visite à mes amis Guy et Toby qui vivent à Verbier, une station de sports d'hiver suisse où ils ont ouvert leur propre école de ski. C'est un petit village idyllique à flanc de montagne, perché dans les Alpes à 1 500 mètres d'altitude. En hiver, on y respire à pleins poumons l'air frais et vivifiant des hauteurs… à condition de ne pas mettre un pied à l'intérieur. Un soir au bar, je me retrouvai entourée de clients qui semblaient tous tirer frénétiquement sur leur cigarette comme s'ils avaient pressenti qu'on le leur interdirait bientôt. La fumée me piquait les yeux. L'atmosphère était si suffocante que j'en avais mal au crâne et, au bout de deux verres à peine, j'étais déjà vaseuse. En retrouvant ma chambre le lendemain soir après une longue journée à dévaler les pistes (à skis ou sur les fesses, c'est selon…), je fus saisie par une désagréable odeur de tabac froid : mes vêtements, négligemment jetés sur une chaise la veille au soir, avaient empuanti toute la pièce. La Suisse a été l'un des derniers bastions de « la liberté de fumer », mais a également fini par proscrire la cigarette dans les lieux publics. Les fumeurs eux-mêmes reconnaissent aujourd'hui que ces mesures s'imposaient pour le bien-être collectif.

Est-il donc si saugrenu d'imaginer un avenir proche où la vente du sucre serait régulée par la loi comme l'est aujourd'hui celle du tabac ? Comme nous l'avons vu, l'Organisation mondiale de la santé a déjà prévu de revoir ses recommandations sérieusement à la baisse : le sucre ne devrait pas représenter plus de 5 % de nos apports énergétiques quotidiens, ce qui équivaut à 5 morceaux de sucre par jour pour un adulte. Pour les enfants, les préconisations seront naturellement encore plus basses. À ce jour – en mars 2014 –, une rapide recherche sur Internet de l'expression « le sucre, nouveau tabac » aboutit à des centaines de milliers de résultats. Et je parie que si vous faites le test à l'heure où vous lisez ces lignes, il y en aura bien plus encore.

Comme bien d'autres choses, le sucre a donné lieu à de nombreuses théories du complot accusant les pouvoirs publics occidentaux de participer à cette intoxication de masse, car elle rendrait la population plus heureuse et donc plus facilement contrôlable. Bien loin de ces délirantes élucubrations, plusieurs experts de renom ont récemment incriminé le sucre en comparant sa toxicité pour les enfants à celle du tabac. Ils ont bien souvent été tournés en dérision ou traités de dangereux alarmistes. C'est notamment le cas du professeur Robert Lustig, endocrinologue à l'université de Californie et spécialiste de l'obésité infantile, dont les travaux sont vigoureusement contestés par le milieu médical et l'industrie agro-alimentaire. Il est en quelque sorte devenu le porte-étendard de la cause anti-sucre. Son livre, *Fat Chance* (non traduit en français) a fait les gros titres de la presse au moment de sa parution en 2012, et sa conférence « *Sugar : The Bitter Truth* » [Sucre : l'amère vérité], a déjà été visionnée plus de 4 millions de fois sur YouTube.

Malgré son succès public, Robert Lustig est loin de faire l'unanimité auprès de ses confrères, qui sont nombreux, aux côtés des grands groupes agro-alimentaires, à rejeter avec véhémence son hypothèse selon laquelle le sucre serait non seulement cause d'obésité et de caries, mais également de pathologies chroniques parmi les plus fréquentes, comme les maladies cardio-vasculaires, le cancer, la maladie d'Alzheimer et le diabète. Ses détracteurs nient également que cette substance puisse induire une quelconque dépendance et ne croient pas davantage que le fructose inhibe la sécrétion de leptine, et donc la sensation de satiété.

De tous les pourfendeurs du sucre, Robert Lustig est peut-être le plus connu, mais il est loin d'être le premier. Dès 1972, le nutritionniste John Yudkin faisait œuvre de pionnier en publiant un essai visionnaire (*Pure, White and Deadly*, non traduit en français) qui tentait, déjà, d'alerter sur les dangers de sa surconsommation. Il affirmait que le grand coupable de l'obésité endémique et de nombreuses autres maladies non transmissibles n'était pas les graisses mais le sucre. C'était alors prendre le contre-pied exact des nouvelles recommandations nutritionnelles, qui encourageaient la population à limiter la consommation d'aliments riches en graisses pour privilégier les produits allégés (contenant pour la plupart des sucres ajoutés). Dire que les théories de Yudkin furent controversées ou discréditées serait un euphémisme. Il fut l'objet d'un véritable lynchage médiatique orchestré par l'industrie agro-alimentaire. La sortie de son livre mit, de fait, fin à sa carrière. Aujourd'hui réhabilité, l'ouvrage a bénéficié d'une réédition en 2012, préfacée par Robert Lustig. Car, bien que le professeur Yudkin ne soit malheureusement plus là pour le constater, le sucre est bien de plus en plus pointé du doigt. L'opinion publique commence enfin à comprendre, comme le martèle aujourd'hui Robert Lustig, que « l'ennemi, ce ne sont pas les graisses ».

En mars 2014, Francesco Branca, directeur du département Nutrition pour la santé et le développement de l'OMS, déclarait dans un quotidien britannique qu'entre autres facteurs de risque, une alimentation riche en sucre contribue à l'épidémie d'obésité qui touche aujourd'hui un demi-milliard d'individus dans le monde. Le sucre, ajoutait-il, va vraisemblablement devenir un nouvel enjeu de santé publique, comme a pu l'être le tabac. Il mettait également en garde contre les boissons sucrées qui peuvent rapidement excéder les apports journaliers recommandés en sucre, en particulier chez l'enfant.

Il faudra encore des mois avant que les panels d'experts et les commissions de l'OMS ne formulent enfin ces nouvelles recommandations, mais certaines personnalités appellent d'ores et déjà les pouvoirs publics à se saisir de la question, à l'instar de Sally Davies, principale conseillère pour les questions de santé au Royaume-Uni, qui, en mars 2014, déplorait que les consommateurs ne se rendent pas compte que les jus de fruits, les smoothies et les sodas sont « hautement caloriques » et devraient par conséquent être consommés avec modération.

Sally Davies est convaincue que le caractère addictif du sucre ne fera bientôt plus aucun doute. Elle plaide pour l'adoption de nouvelles normes pour encadrer la quantité de sucre dans la production agro-alimentaire : « Nous devons lancer une grande campagne de sensibilisation et réfléchir à la mise en place d'une forme de taxe sur le sucre. » Les fonds ainsi récoltés serviraient à financer les répercussions de la progression de l'obésité sur le système de santé britannique. Selon plusieurs études, une taxe de 20 % permettrait de réduire significativement le nombre de personnes en surpoids. Des mesures similaires sont à l'étude dans plusieurs pays et ont déjà été adoptées en France, où la taxe sodas est entrée en vigueur en 2012.

Nous y voilà donc. Le régime hypoglucidique n'est plus l'apanage de quelques « illuminés » : le médecin-chef du ministère de la Santé britannique souligne également l'urgence à réduire notre consommation de sucre et, selon toute probabilité, les pouvoirs publics ne tarderont pas à lui emboîter le pas. Le sucre pourrait en effet devenir bientôt un enjeu politique et, partant, électoral. En Grande-Bretagne, le parti travailliste envisage déjà de limiter les quantités de sucre, de sel et de graisses dans les aliments destinés aux enfants. Les conservateurs, eux, entendent collaborer plus étroitement avec le secteur agro-alimentaire afin d'amener les entreprises à s'engager volontairement sur cette question, comme ce fut le cas pour le sel. Certains crient déjà au scandale et dénoncent une démarche « paternaliste ». En France, une initiative sénatoriale préconisait début 2014 de quadrupler la TVA sur les sodas. Depuis, les fabricants se sont engagés à abaisser de 5 % la teneur en sucre de leurs boissons d'ici à 2015.

J'ai rencontré le cardiologue Graham MacGregor, qui préside Action on Sugar, un groupe de pression formé de dix-huit professionnels de la santé militant auprès des industriels et des États pour une réduction significative de la quantité de sucre dans les aliments transformés. L'organisation entend tirer profit de son succès dans le cadre d'une précédente campagne qui avait abouti à l'abaissement des teneurs en sel. « Notre but est de lutter contre l'explosion des maladies non transmissibles comme les pathologies cardio-vasculaires ou le cancer, explique le professeur MacGregor. Or l'alimentation et le tabac en sont les deux principales causes. Les trois facteurs de risque que l'on retrouve dans notre assiette sont d'abord le sel, qui fait grimper la tension artérielle – l'hypertension est de loin la première cause de mortalité dans le monde –, puis les graisses saturées, sources de cholestérol et extrêmement caloriques (une cuillerée à soupe d'huile d'olive équivaut, en termes de calories, à quatre pommes), et enfin les sucres ajoutés.

Personne ne salait sa viande ou ses légumes il y a encore quelques centaines d'années. De même, les sucres ajoutés n'ont fait leur apparition qu'à partir du moment où les plantations esclavagistes l'ont rendu bon marché. Le sucre est une source de calories inutile. Nous ne remarquons même pas forcément que nous en mangeons et, quand bien même, il n'a quasiment aucun pouvoir rassasiant. Il est donc un facteur majeur d'obésité – et, indirectement, de diabète –, sans parler des caries.

Nous souhaitons par conséquent amener l'industrie agro-alimentaire à diminuer progressivement la teneur en sucre des aliments transformés, comme nous l'avons fait pour le sel, dont le taux a baissé d'environ 30 % dans les produits vendus en supermarchés. Personne n'a rien remarqué. Les fabricants pourraient donc reproduire la manœuvre avec le sucre sans susciter aucun mécontentement chez le consommateur. Ce serait un grand pas en avant pour la santé publique car cette mesure toucherait l'ensemble de la population. Nous achèterions le même aliment tout en mangeant moins.

Des changements aussi subtils sont totalement imperceptibles et si l'on ne dit pas expressément au consommateur que tel ou tel produit est moins salé, il n'a aucune raison de modifier ses habitudes d'achat. C'est un peu différent pour le sucre, car les gens sont généralement plus soucieux d'en limiter leurs apports, mais nous recommandons dans tous les cas aux fabricants de rester discrets sur ces changements de composition.

L'industrie agro-alimentaire pourrait réduire de 10 % la quantité de sucres présente dans ses boissons rafraîchissantes dès demain. En renouvelant l'opération les deux années suivantes, elle abaisserait de 30 % au total la teneur en sucre des sodas dans le monde entier en l'espace de trois ans. »

Que préconise donc le professeur MacGregor ? « Nous devons clairement réduire nos apports caloriques et notre consommation de sel et de graisses saturées. Je ne mange jamais de sucre, je n'aime pas vraiment ça. Si vous cessez de manger quelque chose, vous finissez par ne plus en apprécier le goût. L'industrie agro-alimentaire est bien trop puissante et nous n'avons d'autre choix que de composer avec elle en l'incitant à améliorer la qualité désastreuse des produits qu'elle nous vend pour les rendre plus sains – c'est la mission que notre groupe s'est donné. »

Les fabricants devraient également être incités à plus de transparence quant à la composition des aliments transformés. La plupart des acheteurs ne soupçonnent absolument pas la présence de sucre dans les assaisonnements pour salades, les soupes ou les sauces toutes prêtes. Cette opacité n'a que trop duré. Et ce n'est pas forcément en se tournant vers un organisme public que le consommateur pourra être mieux informé. À ce jour, on trouve encore sur le site officiel du système de santé britannique un conseil des plus surprenants pour veiller à « une alimentation saine et équilibrée » : « En cas de petite faim, prenez un pain aux raisins plutôt qu'une pâtisserie. » Nous sommes tous d'accord, je pense, pour dire qu'une viennoiserie à base de farine blanche et de fruits séchés ne constitue en rien un choix plus sain.

Il n'est donc sans doute pas inutile de récapituler un peu ce que l'on entend par « sucre ». Les préconisations de l'OMS se concentrent essentiellement sur les sucres ajoutés aux aliments transformés, les fameuses « calories vides ». Ce sont les plus dangereux, car ils se glissent aussi bien dans ce que nous mangeons que ce que nous buvons, et nous les consommons bien souvent à notre insu. On les trouve dans les plats préparés, les paquets de biscuits et de gâteaux, les sodas, certaines préparations de viandes, les chips, les sauces, le pain, les barres de céréales, les assaisonnements pour salades et les soupes. Ils sont également présents dans les produits allégés ou sans matières grasses, comme certaines céréales ou certains yaourts aromatisés, et même dans des produits de régime – une boisson Slim Fast contient l'équivalent de 4 1/2 morceaux de sucre ! Rappelez-vous que l'ennemi se cache souvent sous un nom en « – ose » ou sous l'appellation « sirop » dans la liste des ingrédients. Le sucre dont nous agrémentons nous-mêmes nos aliments fait également partie des sucres ajoutés, mais du moins pouvons-nous en contrôler – et en réduire – la quantité. Si vous avez l'habitude de sucrer votre café, il ne tient qu'à vous d'arrêter. Les sucres bruns ou non raffinés sont très proches de leur cousin blanc, à ceci près qu'ils ont subi moins de transformations sur la chaîne de production. Ils déclenchent exactement la même réponse dans l'organisme. Si vous cherchez à remplacer le sucre, essayez plutôt la cannelle.

Les choses se compliquent vraiment avec le miel et les sirops d'agave et d'érable, et autres édulcorants naturels. Ils sont souvent moins raffinés, mais cela signifie-t-il pour autant qu'ils sont préférables au sucre blanc ? J'ai récemment participé à une discussion animée sur ce sujet avec des professionnels du secteur de la santé et des journalistes qui s'intéressaient à la tendance « sans sucre ». Bon nombre de consommateurs pensent pouvoir utiliser ces produits à volonté sous prétexte qu'ils seraient plus sains que le sucre de table. J'ai soutenu le contraire, en exposant mes arguments. Je schématise un peu, mais pour faire simple, on peut dire que le corps réagit de la même manière à l'absorption de sirop d'érable, d'agave ou de miel qu'à toute autre substance sucrée. Si plusieurs de ces produits sont effectivement moins raffinés que le sucre en poudre (comme ne manquent pas de nous le rappeler leurs emballages avec des appellations du type « brut » ou « complet »), beaucoup d'autres le sont tout autant, et en tout état de cause tous provoquent le même pic de glycémie que le sucre blanc. Certes, moins le produit aura été transformé, plus il sera riche en minéraux. Le miel, par exemple, est un antiseptique naturel et contient de la niacine, de la riboflavine, de la thiamine et de la vitamine B6, mais ces substances ne représentent que 2 % de la composition totale et ne suffisent donc pas à en faire un aliment « sain ». Sachant qu'il contient par ailleurs 55 % de fructose (ce sucre qui est directement métabolisé par le foie et qui, en excès, est un facteur d'obésité et de maladies cardio-vasculaires), il n'y a pas de quoi s'emballer. On nous rabâche que ces alternatives au sucre blanc sont « naturelles » et « meilleures pour la santé » – des termes aujourd'hui complètement galvaudés. Si le miel ou les sirops d'agave et d'érable nous paraissent plus sains, c'est uniquement une question d'image. Le sucre blanc, issu de la betterave et de la canne est, lui aussi, « naturel ». Je vous recommande donc vivement de limiter également votre consommation de miel et de sirops d'agave et d'érable qui, en plus d'augmenter la glycémie, entretiennent le goût pour le sucré. Je les évite autant que possible et ne m'en accorde que dans les grandes occasions ou quand je reçois du monde et que je prépare un dessert.

Vient ensuite la question épineuse des aliments naturellement sucrés. Les recommandations les plus récentes de l'OMS préconisent de continuer à consommer des fruits, car leurs apports en sucre sont largement compensés par les vitamines, minéraux et fibres qu'ils contiennent en grande quantité. Or vous savez maintenant que je n'en mange que très occasionnellement. Cet aveu soulève systématiquement chez mes interlocuteurs des réactions de stupeur et d'incrédulité, pourtant je vais très bien, je n'ai pas le scorbut et je n'ai même plus attrapé un seul rhume depuis que j'ai renoncé à mes collations de fruits –, ce qui est bien la preuve, selon moi, que je ne dois pas avoir tout à fait tort. En fait, nombre de personnes converties au régime hypoglucidique ne mangent aucun fruit – à l'instar de plusieurs spécialistes que j'ai rencontrés en préparant ce livre et d'autres articles.

« Se dire qu'un type de sucre est "meilleur" qu'un autre relève d'un conditionnement psychologique, estime Ian Marber. Lorsque nous avons le choix entre deux options plus ou moins malsaines, nous avons tendance à exagérer la différence qui les sépare. Par exemple, quand vous optez pour des fraises alors que vous auriez pu succomber au chocolat, vous avez l'impression d'avoir été "sage", d'avoir bien fait. Mais le fait est que les fraises ne sont pas non plus un choix alimentaire très sain – elles le sont juste un peu plus que le chocolat. C'est comme si vous vous faisiez arrêter par la police pour avoir pris le volant après avoir bu une demi-bouteille de vin et que vous vous justifiez en disant que vous auriez pu en boire deux : vous avez quand même dépassé la limite. Le fructose [naturellement présent dans les fruits et fréquemment ajouté aux aliments transformés] est directement traité par le foie et, lorsque nous en mangeons en trop grande quantité, ce dernier entame un processus de gluconéogénèse, c'est-à-dire qu'il produit du glucose. Le fructose fait donc bel et bien grimper la glycémie, mais de façon indirecte. Manger un aliment riche en glucose ou en fructose revient donc plus au moins au même. »

Évidemment, tout l'intérêt de suivre un régime hypoglucidique est d'être en meilleure santé, et pour ce faire, il est essentiel de continuer à consommer des aliments frais, sources de vitamines, de minéraux et de fibres. Si vous éliminez les fruits de votre régime, il est absolument indispensable d'augmenter significativement votre consommation de légumes et de fruits pauvres en sucre, à savoir les baies comme les mûres, les myrtilles, les framboises. Et en ce qui concerne le sucre, tous les fruits ne se valent pas : les baies noires ont un impact très limité sur la glycémie, tandis que l'ananas, la pêche, la banane, la pomme et la poire font à coup sûr grimper en flèche le taux de sucre sanguin. S'il vous paraît trop difficile d'arrêter complètement les fruits, essayez simplement d'en manger moins. Privilégiez ceux qui contiennent le moins de sucre plutôt que les ananas ou les pêches. Pensez également à grignoter quelques fruits à coque en même temps, vous limiterez ainsi les dégâts (j'y reviendrai un peu plus loin).

Si l'on peut également séparer les légumes en deux familles – ceux qui sont riches en amidon, et donc en glucides (les féculents), et les autres –, je mange des deux, à l'exception des pommes de terre, que j'ai remplacées par des patates douces, dont l'indice glycémique est plus faible.

Les aliments transformés en glucose dans l'organisme constituent justement la dernière forme de sucre dont je veux vous parler. Ils n'ont pas forcément un goût sucré en bouche et sont donc plus difficilement reconnaissables, mais vous trouverez sur Internet de nombreux tableaux recensant l'indice glycémique de divers aliments et il existe également des applications qui permettent de se familiariser avec ce classement. Les aliments à IG élevé (pâtes, riz blanc, pain, etc.) sont rapidement décomposés en sucre après leur ingestion et ne remplissent donc pas nos besoins nutritionnels. Pour garder un niveau d'énergie constant et durable et se sentir rassasié plus longtemps, il est préférable de se tourner vers des aliments à IG bas : riz brun, lentilles et autres légumes secs, céréales complètes telles que le quinoa, l'amarante, l'épeautre et le sarrasin.

Lorsque vous mangez un produit sucré – ce qui est inévitable, quelle que soit la fermeté de votre résolution –, veillez du moins à l'accompagner judicieusement. Nous savons que l'organisme gère mieux l'afflux de sucre quand il est associé à des protéines et des lipides. Ajouter quelques myrtilles et des noix au bol de céréales limite ainsi l'absorption du sucre et réduit les pics de glycémie et les coups de pompe. C'est également la raison pour laquelle il vaut mieux éviter de manger des sucreries quand on a le ventre vide.

Comme je l'ai déjà dit au chapitre 5, si vous ne pensez pas être capable d'abandonner toutes ces formes de sucre d'un coup, procédez par étapes (voir page 112).

« De tous les clients que je vois passer dans notre salle de sport, ceux qui mangent beaucoup de sucre sont toujours fatigués, manquent d'énergie, témoigne Lee Mullins, du programme Bodyism. Ils ne sont pas forcément en surpoids – tout le monde n'est pas égal face au sucre et certaines personnes ont un métabolisme qui leur permet d'en ingérer en grande quantité sans développer de tissus adipeux –, mais cela ne signifie pas pour autant que tout va pour le mieux à l'intérieur. Le sucre crée dans l'organisme un environnement favorable à l'inflammation, elle-même étant liée à différentes maladies. James Duigan a coutume de dire : "La vie est courte, mais elle est aussi très longue." Cela peut paraître absurde, mais ce qu'il entend par là, c'est que nous avons en moyenne quatre-vingts ans à vivre sur cette planète – et quatre-vingts ans, quand on est constamment fatigué ou malade, ça peut paraître très long ! Alors, autant commencer à prendre soin de notre corps dès aujourd'hui. »

Nous savons donc maintenant qu'arrêter le sucre a des bienfaits presque immédiats sur notre santé et notre bien-être, mais qu'en est-il pour nos problèmes de peau ? « Les jeunes femmes d'aujourd'hui vieilliront moins bien que leurs aînées, affirme Mica Engel. Non seulement à cause du tabac et des ravages du soleil sur la peau, qui sont des facteurs clés, mais aussi en grande partie parce que nous avons été exposées à des quantités de sucre bien plus importantes que les générations précédentes, qui n'ont pas grandi comme nous en mangeant des aliments enrichis en sirop de maïs à haute teneur en fructose, par exemple.

Le sucre est présent dans un très grand nombre de produits, et la majorité de ceux issus de l'industrie agro-alimentaires sont bourrés de cochonneries. Nos parents et nos grands-parents avaient un régime beaucoup plus sain, et les effets de nos excès alimentaires se font sentir sur notre visage. Notre rythme de vie s'est accéléré et nous privilégions la restauration rapide ou les plats préparés. Ce n'est ni bon pour notre corps ni pour notre peau.

Avant de me spécialiser dans la cosmétique, j'étais urgentiste au Brésil, mon pays d'origine, et je possède également une formation en médecine préventive. Il est très intéressant d'étudier l'impact de notre alimentation sur l'organisme au niveau microscopique et moléculaire. De nombreuses recherches ont montré que la restriction calorique prolongeait l'espérance de vie en limitant le phénomène de glycation [un processus inflammatoire par lequel les molécules de glucose en excès dans le sang se fixent aux lipides et aux protéines, entraînant la rigidification et la fragilisation des fibres de la peau à l'origine du vieillissement cutané]. Il est donc crucial d'éviter au maximum cette inflammation, non seulement pour prendre soin de sa peau, mais aussi pour rester en bonne santé. »

Les effets bénéfiques d'une alimentation plus saine se feront indéniablement ressentir sur votre teint également, mais les soins mis au point pour réparer les dégâts causés par l'excès de sucre sont appelés à faire les beaux jours de l'industrie cosmétique. La marque américaine SkinCeuticals, qui se revendique à la pointe de la recherche scientifique, a été la première à proposer une gamme dédiée aux peaux ternes et prématurément vieillies par la glycation. Sa crème anti-âge spécifiquement formulée pour « restaurer l'élasticité de la peau et remédier au relâchement cutané causé par les produits de la glycation » aurait fait ses preuves lors d'essais cliniques indépendants conduits sur une durée de trois mois. « La glycation se produit lorsque le glucose en excès vient s'accrocher aux fibres de collagène et d'élastine, précise l'étiquette. En les "caramélisant", il les rigidifie et entraîne des réactions chimiques irréversibles. En résulte la formation de produits de la glycation (AGE), responsables des rides profondes de la peau. » Tout cela fait rêver, mais au prix où est vendu le pot de crème (pour une durée de soins d'environ trois mois), les résultats ont plutôt intérêt à être au rendez-vous. Si cette gamme n'est pas à la portée de votre bourse, Mica Engel tient à nous rassurer : « L'acné peut être grandement améliorée par un changement d'alimentation. En éliminant de votre alimentation les substances inflammatoires telles que le sucre, vous pourrez même complètement restructurer votre peau. Les résultats sont remarquables. »

Et je vous le confirme pour avoir moi-même vécu cette amélioration spectaculaire. Avec deux années de régime hypoglucidique derrière moi, je me rends compte que je me suis un peu faite l'apôtre de cette alimentation pauvre en sucre, mais je n'irais pas jusqu'à prétendre avoir trouvé la panacée. Il m'arrive encore d'avoir des boutons – il m'en est poussé un au beau milieu du menton ce matin même – et mon 38-40 ne fait pas de moi une asperge. Mais je suis tout de même à des années-lumière de l'ancienne Nicole.

Hier soir dans mon lit, je me demandais ce que serait ma vie si j'avais continué à boire et à manger de la même façon. À quoi ressemblerais-je ? Comment aurais-je surmonté ma rupture avec Barry, ma démission, mon déménagement ? Serais-je encore en train de dépenser des sommes exorbitantes en soins du visage qui n'avaient pas la moindre chance de régler mes problèmes ? Continuerais-je à récompenser mes efforts, à peine descendue du tapis de course, en me jetant sur un yaourt aux fruits ou un smoothie tout en me demandant pourquoi je n'arrivais pas à perdre du poids ? Aurais-je réussi à faire disparaître mes sautes d'humeur ou leur aurais-je simplement trouvé un nouveau coupable ?

Je ne saurais que trop vous encourager à adopter une alimentation pauvre en sucre. Tentez au moins l'expérience quelque temps pour voir ce que cela vous fait. Il y aura des moments difficiles, mais vous savez à quoi vous attendre et avez toutes les cartes en main pour réussir. Vous aurez besoin d'un certain temps d'adaptation pour prendre vos marques et dénicher tous les bons aliments un peu exotiques qui vont compléter votre nouvelle routine alimentaire (cela dit, on trouve de plus en plus facilement des produits comme le quinoa et l'huile de coco), mais cela en vaut la peine, pour votre cœur, votre bien-être et votre silhouette.

Je n'aurais jamais pu imaginer tous les changements qui se sont opérés dans ma vie ces deux dernières années. Si quelqu'un m'avait dit en 2012 que j'écrirais un livre prônant un régime plus sain, je lui aurais sans aucun doute ri au nez. On dit qu'il est très dur de décrocher du sucre, et c'est vrai, pendant quelques jours du moins. Mais j'ai réussi – moi, la gamine qui passait ses samedis après-midi cachée dans la cabine photo du supermarché à manger des bonbons qu'elle avait chipés sur l'étalage de confiseries ; moi, l'ado capable de s'enfiler tout un paquet de pastilles énergisantes comme des caramels juste après un énorme milk-shake au McDonald's ; moi, l'étudiante qui, au réveil, avait déjà avalé un biscuit au chocolat avant même d'avoir ouvert les yeux...

Si j'ai pu le faire, vous le pouvez aussi.

REMERCIEMENTS

Heureusement que je n'ai pas décroché un oscar, sans quoi la liste des remerciements aurait été encore plus longue. Il y a tant de gens que je souhaiterais remercier de m'avoir soutenue dans mon entreprise. Et tout d'abord ma famille, qui s'est montrée si patiente à mon égard – oui, vous aussi Millie, Tilda, Ursula et Spencer. Mes amies de la côte Sud, en particulier Julie et Jane, et toute la joyeuse bande de la grande époque du *Factory*.

Je tiens à dire toute ma gratitude à Elsa, Roger et Paul, phares de mes années de formation ; à mes mentors et à tous ceux qui m'ont permis de gagner ma vie en écrivant pour la presse.

Cette aventure a commencé à la rédaction de *Vogue*. Merci à Alexandra Shulman et à Joe Ellison d'avoir commandé l'article qui a donné naissance au présent ouvrage.

Ma reconnaissance va également aux nombreuses personnes qui m'ont aidée tout au long de l'élaboration de ces pages : Holly Pannett, Ian Marber, Amanda Hills, Mica Engel et l'équipe de Waterhouse Young, Cecilia d'Felice, le professeur Graham McGregor ; James Duigan, créateur du Bodyism, et son équipe – Lee, Becs, Tegan, Albert, Mike, Tom, Toby et les autres. À tous, merci pour les séances de squats et les délicieux shakes protéinés.

Un grand coup de chapeau à tous les collègues du *Guardian Weekend Magazine* qui m'ont supportée pendant l'écriture de ce livre – Clare, Melissa, Ruth, Nina, Simon, Bim…

Que soient remerciés Jane Sturrock, Emma Smith, Jon Elek, Jessica Gulliver, l'équipe éditoriale d'Orion et mes coachs de United Agents qui m'ont convaincue que je pouvais boucler ce livre en six semaines. Et Rowan Lawton. Je vous revaudrai ça.

Et tous mes chers compagnons des bons et mauvais jours, sans lesquels ce projet ne se serait jamais concrétisé. Nicole et Nick, Nell et Will, Gemma et Stark, Bobby et Helena, Maya, toutes les Kate, Olivia, Tracey, Emma, Sarah, Sam, Katy, Kevin, Cosmo, Mia, Aspen et bien d'autres que je n'oublie pas, même si la place manque pour citer leur nom. Vous êtes formidables !

TABLE

Composition réalisée par Belle Page

Achevé d'imprimer en janvier 2015 en Espagne par
ROTATIVAS DE ESTELLA
Dépôt légal 1ʳᵉ publication : février 2015
LIBRAIRIE GÉNÉRALE FRANÇAISE
31, rue de Fleurus 75278 Paris cedex 06

73/2227/7